はじめに

月刊誌「厚生の指標」の増刊である「国民衛生の動向」は、昭和25年の創刊以来、既に70回の刊行を数え、この間、広く各方面から絶大な評価をいただき、官公庁、企業をはじめ、医育機関、看護職員養成機関などで実務の参考書、教材、研修用テキストとして幅広く利用されてまいりました。

「図説　国民衛生の動向」は、前述の「国民衛生の動向」をより容易に理解できるものをという各方面からの強いご要望に応えるものとして、学識経験者のご援助を得ながら2000年に創刊したもので、今回が20回目の刊行です。今回の特集は「健康寿命の延伸とたばこ対策」です。

本書は、その名の示すとおり、図表を中心としてこれに解説を加えながら、わが国の保健医療や生活環境などを取り巻く状況を一目でわかるように構成しています。学生や一般の方々の入門書としても利用できるよう、要点をできるだけ簡明かつ平易に解説するよう心掛けました。「国民衛生の動向」本編と併せてご活用いただければ幸いです。

2019年10月

一般財団法人 厚生労働統計協会
会長　**松谷　有希雄**

目　次

はじめに……1
本書の使用にあたって……7

特集　健康寿命の延伸とたばこ対策

1　健康づくりの推進……8
生活習慣と社会環境の改善による健康づくりの推進

2　健康日本 21（第二次）……9
国民健康づくり運動

3　健康寿命の延伸……10
健康寿命を 2040 年までに 3 年以上延伸させる目標

4　健康格差の縮小……11
地域格差や社会経済状況による健康格差の縮小

5　生活習慣病－がん……12
半数以上の人が、いつかはがんに罹患

6　生活習慣病－循環器疾患……13
脳卒中・循環器病対策基本法により対策が推進

7　生活習慣病－糖尿病……14
糖尿病有病者数は約 2000 万人

8　生活習慣病－ COPD……15
COPD（慢性閉塞性肺疾患）の原因の 90 %はタバコ

9　たばこ対策……16
総合的なたばこ対策が有効、加熱式たばこにも有害物質

10　受動喫煙対策……17
健康増進法の改正により受動喫煙対策を強化

第 1 編　わが国の社会保障の動向と衛生行政の体系

1-1　衛生行政を巡る社会環境の変化……19
人口構成の変化に導かれ、政策課題が大きく変化

1-2　わが国の経済と国民生活－社会保障給付費……20
収入と支出からみる社会保障給付費

1-3　衛生行政活動の概況……21
保健師の活動、生活環境衛生職員の活動による健康生活の保障

1-4　健康危機管理体制の整備……22
健康被害の発生予防、拡大防止、治療などの対策

1-5　保健医療分野の国際協力……23
国際協力には交流と協力が

第 2 編　衛生の主要指標

2-1　人口静態（国勢調査）……24
人口は今後長期にわたって減少

2-2　年齢別人口……25
年少人口の急激な減少と老年人口の増加

2-3　世帯構造……26
高齢者のひとり暮らし世帯が増加傾向

2-4　都道府県別人口……27
老年人口割合が高いほど
人口減少が著しい
2-5　人口動態の概況……28
拡大する"自然減少"
2-6　出生－合計特殊出生率……29
1人の女性が一生の間に生む
子ども数は平均1.42人
2-7　出生－母の年齢、妊娠期間、出生体重……30
生み始め年齢の上昇、低出生
体重児割合は増加し近年横ばい
2-8　年齢別死亡……31
40歳以上の死亡率上昇は比が一定
2-9　死因別死亡……32
死亡原因の多くを生活習慣病が
占める
2-10　部位別悪性新生物〈腫瘍〉死亡……33
死亡数は、男は肺がん、
女は大腸がんが最多
2-11　死亡の国際比較……34
胃がんは高率、
虚血性心疾患と乳がんは低率
2-12　妊産婦死亡、死産、周産期死亡……35
周産期死亡率は極めて低率
2-13　乳児死亡……36
新生児死亡率が極めて低率
2-14　人口動態と生命表……37
人口や平均寿命の
変化をつかむ統計
2-15　国民生活基礎調査と患者調査……38
国民の生活や健康・受療の実態を
つかむ統計として重要
2-16　健康状態……39
国民の3割に自覚症状、悩みや
ストレスがある者は5割近く
2-17　入院・外来受療率……40
高齢者は高いが低下傾向、
入院・外来受療率に地域差がある
2-18　傷病別推計患者数……41
入院は精神と循環器、
外来は歯科を含む消化器が多い
2-19　患者の受療状況……42
外来待ち時間は1時間未満が7割、
医師からの説明が不十分とする者
は少ない
2-20　退院患者の平均在院日数……43
短縮傾向にあるが、依然として
疾患による差が大きい

第3編　保健と医療の動向

3-1　健康の社会的決定要因……44
健康は個人の生活習慣だけでなく
社会的要因も強く影響
3-2　特定健康診査と特定保健指導……45
内臓脂肪症候群（メタボリック
シンドローム）に着目した
階層化と保健指導
3-3　市町村の健康増進事業……46
健康増進法により、がん検診や
健康増進計画策定などが実施
3-4　地域診断と評価……47
地域診断には地域間比較、
時間比較、人の属性比較が重要
3-5　国民健康・栄養調査……48
国民の生活習慣と健康状態を
明らかにする全国調査
3-6　健康増進対策－栄養・食生活……49
脂肪エネルギー比率と食塩は
目標量を超えている
3-7　健康増進対策－身体活動・運動……50
50歳代までの運動習慣は
3割未満
3-8　健康増進対策
－こころの健康づくりと睡眠……51
睡眠で休養が十分に
とれていない者は20.2％

3-9 健康増進対策－アルコール……52
40代、50代の男性の
5人に1人が過剰飲酒
3-10 歯科保健……53
歯科口腔保健法により国民の歯科
保健向上から健康長寿にむけて
3-11 わが国の子育て支援と少子化対策…54
1.57ショックから
30年間の少子化対策
3-12 健やか親子21（第2次）の概要…55
すべての子どもが
健やかに育つ社会
3-13 母子保健対策ー保健指導と健康診査‥56
結婚前から一貫したサービス体系
を誇る母子保健対策
3-14 母子医療対策と母子保健基盤整備…57
新しい知見を基に様々な施策が
導入される母子保健医療対策
3-15 障害児・者の対策……58
障害者基本法および障害者総合
支援法に基づく支援を実施
3-16 障害児・者の状況……59
障害児・者数は、生活のしづらさ
調査と手帳交付数で把握可能
3-17 精神保健福祉対策……60
ギャンブル等依存症対策基本法が
施行
3-18 精神障害者の医療……61
医療保護入院、措置入院には
精神保健指定医の診察が必要
3-19 ウイルス性肝炎対策……62
肝炎対策の推進
3-20 感染症の分類……63
平成26年の感染症法の
法改正を踏まえた新しい分類
3-21 HIV・エイズ対策……64
HIV・エイズの年間報告数では
日本人男性の同性間性的感染経路
が約7割
3-22 結核……65
平成18年に結核予防法を廃止し、
感染症法に統合
3-23 検疫……66
検疫法と国際保健規則に基づき
感染症の侵入を防御
3-24 予防接種……67
予防接種は適切な時期に勧めて
3-25 予防接種健康被害対策……68
予防接種による健康被害救済と
根拠に基づく対応
3-26 がん対策……69
がん対策基本法により予防・
医療・研究・就労・教育等が推進
3-27 がん診療連携拠点病院等……70
どこでもどの年代でも質の高い
がん医療を受けることができる
体制づくり
3-28 がん研究10か年戦略……71
根治・予防・共生のために患者・
社会と協働したがん研究が推進
3-29 がん登録……72
全国がん登録が開始
3-30 難病……73
難病の患者に対する医療等に
関する法律（難病法）による支援
3-31 腎疾患、臓器移植……74
造血幹細胞移植には骨髄・
臍帯血・末梢血幹細胞の3種類
3-32 その他の疾病対策……75
被爆者健康手帳の交付者数は
ピークの37万人から現在は
15万人に減少

第４編　医療提供体制と医療保険

4-1 医療介護改革の取り組み……77
地域の実情に応じた医療と介護の提供体制に向けた協議の場が設置

4-2 医療政策……78
どこに住んでいても適切な医療・介護サービスが受けられる社会を実現する

4-3 医療計画……79
高齢化が進む将来に向けて都道府県が地域医療提供体制を計画的に進める

4-4 地域医療構想の推進……80
「地域医療構想」の達成に向けたいっそうの取り組み

4-5 在宅医療の推進……81
自宅での療養のために在宅医療・介護の連携

4-6 救急医療、災害時医療、へき地医療……82
医療計画に基づく救急医療、災害時医療、へき地医療の展開

4-7 医療安全対策……83
医療の安心・安全の確保と院内感染対策の充実

4-8 医療関係者……84
特に医師・看護師の偏在・不足の対応と資質向上

4-9 医療施設……85
平均在院日数の減少により多くの入院患者を受け入れ可能に

4-10 病床基準と病床数……86
在宅医療の推進により病院や療養病床が減少傾向

4-11 わが国の医療保険制度の概要……87
日本の医療制度の特徴は皆保険と現物給付

4-12 医療保険の加入者……88
保険によって被保険者は異なる

4-13 医療保険制度のあゆみ……89
医療保険制度改正は超高齢社会に備えて

4-14 高齢者医療制度と医療費適正化……90
公費と現役世代が支える後期高齢者医療制度

4-15 公費医療制度……91
生活保護費の約半分が医療扶助費

4-16 医療費と介護保険の統計……92
国民医療費と介護保険給付費の合計は 50 兆円を超えた

4-17 傷病分類別医科診療医療費……93
入院・外来とも循環器系の疾患の医療費が第一位

第５編　介護保険

5-1 介護保険一制度の概要……94
介護保険の給付財源は保険料と公費がそれぞれ５割

5-2 介護保険
一申請からサービスを受けるまで……95
介護保険は予防給付と介護給付の二本立て

5-3 介護を必要とする者の割合……96
年齢とともに要介護度は急上昇

5-4 地域包括ケアシステム……97
地域包括ケアシステムは市町村が地域の特性に応じて構築

第６編　薬　事

6-1　薬事対策の動向……98
医薬分業の推進
6-2　薬局と医薬品販売業……99
改正薬事法施行：第一類から第三類医薬品の指定
6-3　医薬品等の安全性……100
薬の副作用の緊急安全性情報が出るまで
6-4　血液事業……101
献血の推進と適正使用のすすめ
6-5　血液製剤の安全対策……102
血液製剤による感染症の防止
6-6　麻薬・覚せい剤等……103
麻薬・覚せい剤犯罪の若年化の防止

第７編　生活環境

7-1　生活環境施設……104
国民生活を支える水道
7-2　食品安全行政……105
食品安全行政は省庁連携の下で
7-3　食品安全確保対策……106
リスク評価・管理・コミュニケーションに基づく食品安全確保
7-4　食中毒の発生状況……107
患者の約半数はノロウイルス
7-5　化学物質の安全対策……108
身の回りの化学物質に対する安全対策
7-6　生活衛生関連行政の概要……109
「衣食住」の衛生を守る施策と職種

第８編　労働衛生

8-1　労働衛生対策のあゆみ……110
時代とともに変わる労働衛生対策
8-2　労働衛生の現状と職業性疾病対策……111
職業性疾病は負傷に起因するものが約７割
8-3　労働衛生管理の基本……112
体制構築・コミュニケーション、教育、身体の外から内への３管理
8-4　労働衛生管理体制……113
労働安全衛生法に基づく管理体制
8-5　労働衛生対策の推進……114
過重労働、心の健康、治療と就労の両立支援が最近の課題

第９編　環境保健

9-1　環境保健……115
公害健康被害の補償と環境保健への取り組み
9-2　環境基準……116
健康や生活環境を守るための環境基準
9-3　大気汚染・水質汚濁……117
大気汚染や水質汚濁の現状と対策
9-4　地球環境問題……118
地球環境を守るための国際的な取り組み
9-5　廃棄物……119
伸び悩むリサイクル率
9-6　環境要因による健康被害に対する措置……120
石綿による健康被害の認定と救済

第10編　学校保健

10-1　学校保健行政の概要……………121
学校保健を確保するための
様々な行政活動
10-2　学校における健康診断…………122
学校の健康診断は就学時と
定期・臨時。教職員も対象
10-3　学校における感染症予防………123
学校では感染症を
3種類に分類して予防

コラム

1　医学系研究と倫理………………18
新指針施行：医学研究の倫理は
人権の尊重と科学的妥当性が両輪
2　ナイチンゲール…………………76
統計を駆使した
医療・看護の質の改革者

索引……………………………………………………………124

本書の使用にあたって

- 本書は、当協会が発行する月刊誌「厚生の指標」の増刊である「国民衛生の動向」の図説ダイジェスト版であり、基本的な統計、指標、対策を収録しています。
- 全体の構成は、「国民衛生の動向」の編と章の順序に従っています。
- 2019／2020年版の特集は、「健康寿命の延伸とたばこ対策」を解説しました。
- 図表には、「国民衛生の動向」以外の資料などから作成したものも含まれています。
- 各頁の参照欄に記載した「本編○○頁」とは、「国民衛生の動向」2019／2020年版の頁を示します。

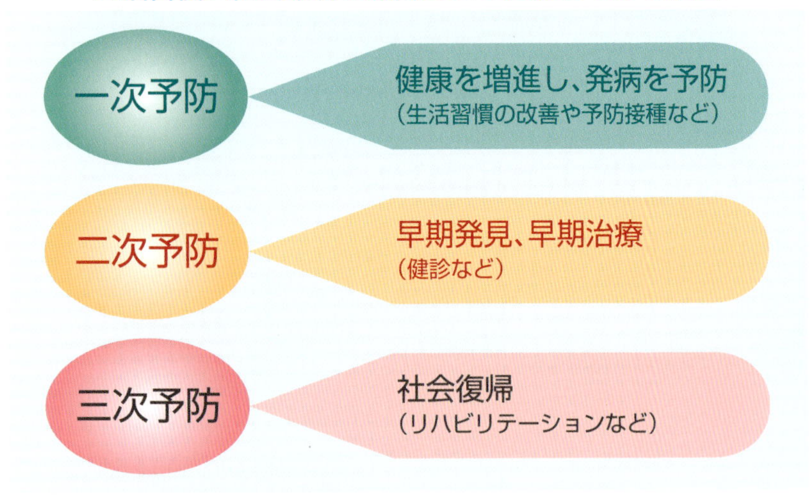

疾病の予防対策には、**一次予防、二次予防、三次予防**がある。喫煙と肺がんや心臓病、動物性脂肪の過剰摂取と大腸がん、肥満と糖尿病など、食生活や運動などの生活習慣とこれらの疾患の関係が明らかとなっている。二次予防に重点を置いていた従来の対策に加え、生活習慣の改善により発症そのものを予防するという一次予防対策も推進していく方針が「**生活習慣病**」という言葉に表されている。**NCD（非感染性疾患）**という言葉も、ほぼ同様の意味で使われている。さらに、強制することなく良い方向に誘導するナッジを活用して自然に健康になれる環境づくり、社会参加の促進など、社会環境の改善が重視されている。

健康づくりの具体的施策としては、昭和53年から第1次国民健康づくり対策、63年に第2次、平成12年に健康日本21が開始された。24年7月に第4次国民健康づくり対策として**健康日本21（第二次）（特集－2節）**が策定され、25～令和4年度が実施期間となっている。

参照：本編92～101頁（第3編第1章　1.生活習慣病　2.1〕対策のあゆみと国民健康づくり）

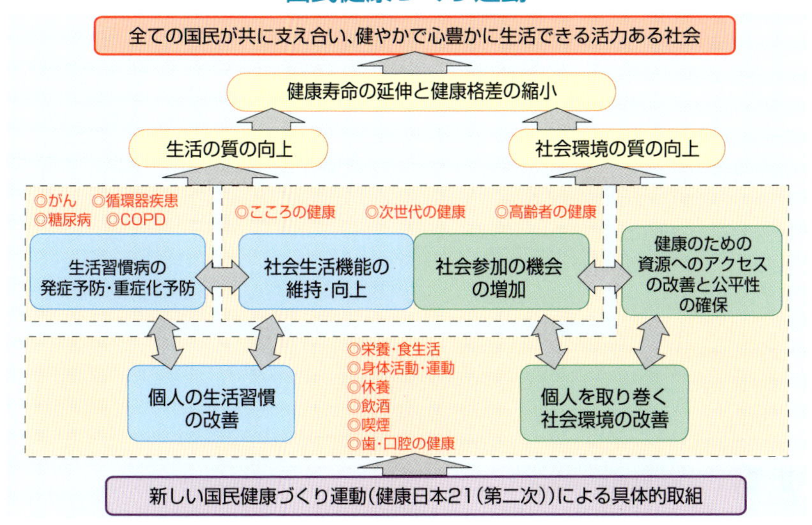

資料　健康日本21（第二次）の推進に関する参考資料（平成24年7月　厚生科学審議会地域保健健康増進栄養部会／次期国民健康づくり運動プラン策定専門委員会）（一部改変）

平成25年度から令和4年度まで取り組む健康増進対策として、「**全ての国民が共に支え合い、健やかで心豊かに生活できる活力ある社会**」を目指した「21世紀における第2次国民健康づくり運動（**健康日本21（第二次）**）」が進められている。

健康日本21（第二次）では、目指すべき社会および基本的な方向の関係が整理されており、**個人の生活習慣の改善**および**個人を取り巻く社会環境の改善**を通じて、**生活習慣病の発症予防・重症化予防**を図るとともに**社会生活機能の維持・向上**による**生活の質の向上**を図り、また、**健康のための資源へのアクセスの改善と公平性の確保**を図るとともに、**社会参加の機会の増加**による**社会環境の質の向上**を図り、結果として**健康寿命の延伸・健康格差の縮小**を実現するとされている。

平成30年度には、目標の達成状況や関連する取り組みの状況を評価し、目標達成のための促進・阻害要因等を検討して今後の課題を明らかにするために、中間評価が行われた。

参照：本編97～106頁（第3編第1章　2.健康増進対策）

特集 -3　健康寿命の延伸

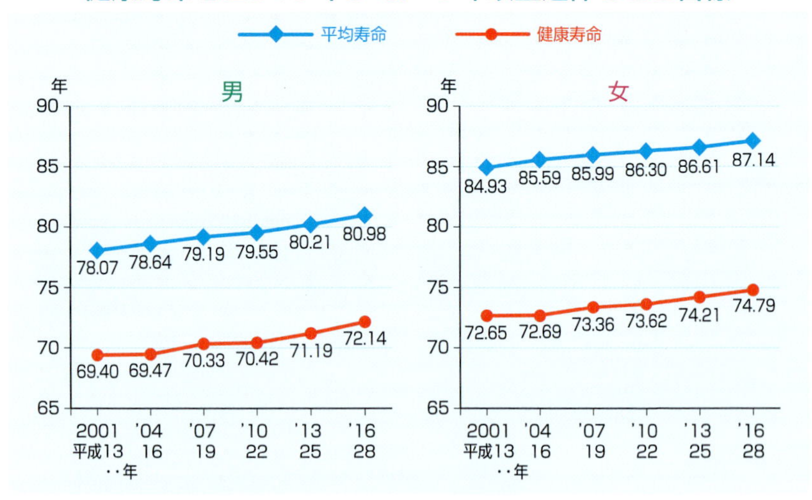

資料　平均寿命：厚生労働省「簡易生命表」、22年は「完全生命表」
　　　健康寿命：厚生労働省「平成30年3月9日　第11回健康日本21（第二次）推進専門委員会資料」
注　　1）基礎資料として、健康情報は国民生活基礎調査を、死亡情報は人口動態統計を用いた。
　　　2）平成7年の健康情報は、兵庫県を除く全国のものを用いた。
　　　3）平成28年の健康情報は、熊本県を除く全国のものを用いた。

健康寿命は、健康で長生きすることを1つの指標で表したものである。具体的には、年齢階級別の死亡率と、健康である割合を用いて、生命表（**2−14節**）を用いて計算するのが一般的である（サリバン法という）。健康日本21（第二次）では、国民生活基礎調査の結果を用いて「日常生活に制限のない期間の平均」を健康寿命の主指標としている。健康日本21（第二次）の目標として、平均寿命の増加分を上回る健康寿命の増加が掲げられており、平成22年と比較して28年は順調に延伸している。さらに、健康寿命延伸プランを策定し、2040年までに2016年と比べて3年以上延伸させる目標を新たに掲げている。その他に、「自分が健康であると自覚している期間の平均」を健康日本21（第二次）の副指標としている。また、市町村では、介護保険データを用いて要介護2以上について健康でないとみなして健康寿命を計算することができる。

参照：本編：97～101頁（第3編第1章　2.1〕対策のあゆみと国民健康づくり）

地域格差や社会経済状況による健康格差の縮小

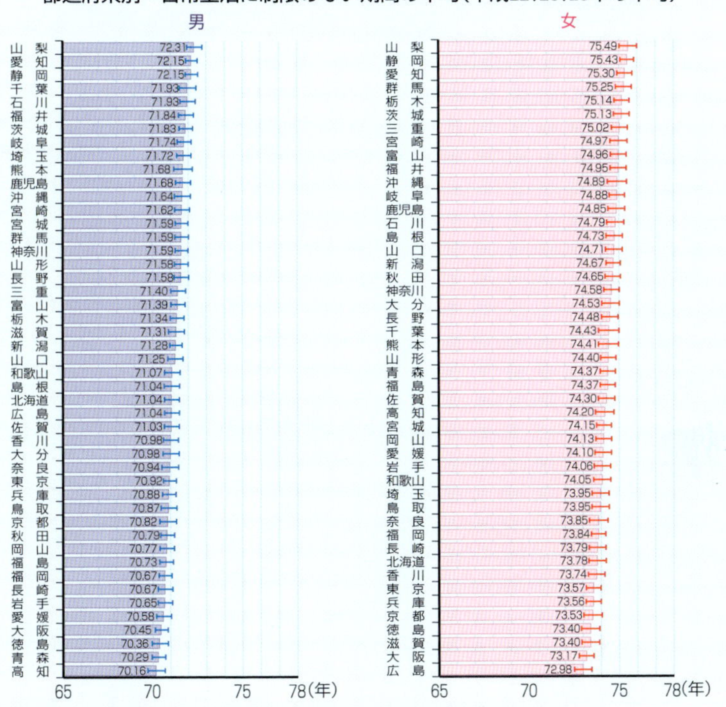

資料　厚生労働省「平成 30 年 3 月 9 日　第 11 回健康日本 21（第二次）推進専門委員会資料」
注　　バーは 95 %信頼区間（95 %の確からしさで真値がある範囲）

健康格差の縮小は健康日本 21（第二次）の重要な目標のひとつである。健康格差には、地域間の格差や、所得・学歴・職業などの**社会経済的状況**（SES, Socio Economic Status）による格差がある。健康格差の縮小のためには、社会的に不利な地域や人々への支援を強化することや、健康に関心のある人だけではなくすべての人にアプローチできる事業を行うことなどが重要である。

健康格差の縮小に向けて、生活困窮者自立支援制度（経済的に困窮している人への支援）、生活保護受給者への健康管理支援事業、そして地域共生社会（地域住民や地域の多様な主体が参画してつながり、住民一人ひとりの暮らしと生きがい、地域をともに創っていく社会）の実現などが推進されている。

参照：本編：97 ～ 101 頁〔第 3 編第 1 章　2.1〕対策のあゆみと国民健康づくり）

半数以上の人が、いつかはがんに罹患

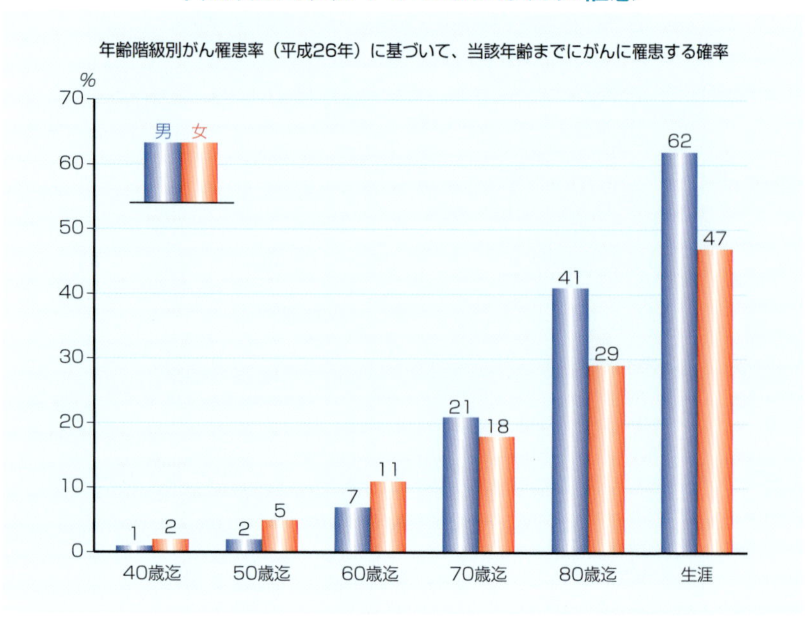

資料　独立行政法人国立がん研究センターがん対策情報センター

がんは、総死亡の約 30 %を占めており、日本での死因の第 1 位である。人口の高齢化に伴い粗死亡率（人口 10 万人当たりの死亡数）は増加しているが、高齢化の影響を除いた年齢調整がん死亡率は減少傾向にある。これに対し、がん罹患率（人口 10 万人当たりの、新たにがんと診断された数）は、粗罹患率も、年齢調整罹患率も長期的にみて増加傾向である。がん登録によると、平成 26 年において罹患率が高いがんは、男では、胃、肺、大腸、前立腺、肝臓、女では、乳房、大腸、胃、肺、子宮の順である。

また、生涯でがんに罹患するリスク(確率)は、図のように男 62 %，女 47 %である。生涯がん罹患リスクを部位別にみると、男では、胃 11 %、肺 10 %、大腸 9 %、前立腺 9 %、女では、乳房 9 %、大腸 8 %、胃 5 %、肺 5 %などとなっている。

参照：本編 60 ～ 71 頁（第 2 編第 2 章　2. 死亡）

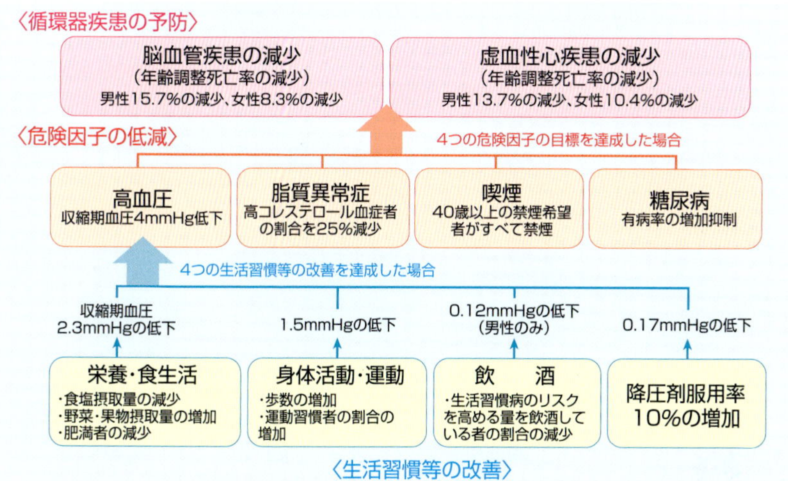

平成 29 年患者調査による総患者数は、高血圧性疾患 994 万人、心疾患 173 万人、脳血管疾患 112 万人となっており、また国民医療費も高額を占めている。

脳血管疾患や虚血性心疾患などの循環器疾患の予防には、**高血圧、脂質異常症、喫煙、糖尿病**の 4 つの危険因子を低減させることが必要である。そのためには、さらに、栄養・食生活、身体活動・運動、飲酒、降圧剤服用などの生活習慣の改善が必要であり、健康日本 21（第二次）ではそれらの目標を定めている。

高血圧について、日本高血圧学会が「**高血圧治療ガイドライン** 2019」で分類を定めている。収縮期および拡張期血圧（mmHg）について、正常血圧（< 120 かつ < 80）、正常高値血圧（120 ～ 129 かつ < 80）、高値血圧（130 ～ 139 かつ / または 80 ～ 89）、Ⅰ度高血圧（140 ～ 159 かつ / または 90 ～ 99）、Ⅱ度高血圧（160 ～ 179 かつ / または 100 ～ 109）、Ⅲ度高血圧（≧ 180 かつ / または≧ 110）などとなっている。

健康寿命の延伸等を図るための脳卒中、心臓病その他の循環器病に係る対策に関する基本法（脳卒中･循環器病対策基本法）が平成 30 年に成立し、国･都道府県において循環器病対策推進基本計画の策定、循環器病対策推進協議会を設置して対策が推進されることとなった。

参照：厚生労働省健康日本 21（第二次）の推進に関する参考資料

糖尿病有病者数は約 2000 万人

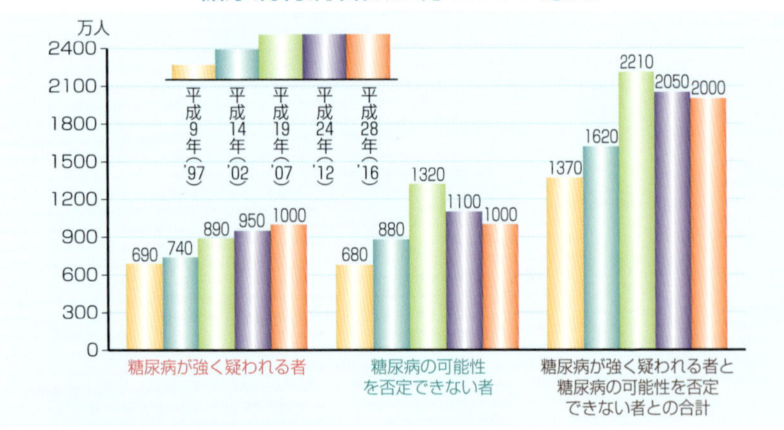

資料　厚生労働省「国民健康・栄養調査」
注　「糖尿病が強く疑われる者」、「糖尿病の可能性を否定できない者」の判定
①「糖尿病が強く疑われる者」とは、ヘモグロビン A1c の測定値がある者のうち、ヘモグロビン A1c（NGSP）値が 6.5 %以上（平成 19 年まではヘモグロビン A1c（JDS）値が 6.1 %以上）または、調査票の「これまでに医療機関や健診で糖尿病といわれたことがありますか」の問いに「あり」と回答し、「糖尿病の治療を受けたことがありますか」に「過去から現在にかけて継続的に受けている」および「過去に中断したことがあるが、現在は受けている」と回答した者。
②「糖尿病の可能性を否定できない者」とは、ヘモグロビン A1c の測定値がある者のうち、ヘモグロビン A1c（NGSP）値が 6.0 %以上、6.5 %未満（平成 19 年まではヘモグロビン A1c（JDS）値が 5.6 %以上、6.1 %未満）で、"糖尿病が強く疑われる者"以外の者。

糖尿病有病者数は、図のように平成 28 年国民健康・栄養調査において約 2000 万人と推計され、これまでの増加傾向が頭打ちになっている。糖尿病は循環器疾患（心筋梗塞、脳卒中など、心血管疾患ともいう）のリスクを 2 ～ 3 倍増加させる。また、神経障害、網膜症（失明）、腎症（透析）、足病変といった合併症を併発するなどによって、生活の質ならびに社会経済的活力と社会保障資源に多大な影響を及ぼす。健康日本 21（第二次）において、三次予防として、糖尿病腎症による年間新規透析導入患者数の減少が目標となっている。透析患者の減少のためには高血圧の改善も重要である。二次予防として、重症化予防のためには、治療継続者の割合の増加と、血糖コントロール指標におけるコントロール不良者（HbA1c が NGSP 値 8.4 %（JDS 値 8.0 %）以上）の割合の減少を目標としている。一次予防として、糖尿病有病者の増加の抑制のために、生活習慣の改善を含めた総合的な取り組みが必要である。

参照：本編 92 ～ 93 頁（第 3 編第 1 章　1.2〕（1）糖尿病）

COPD（慢性閉塞性肺疾患）の原因の 90 %はタバコ

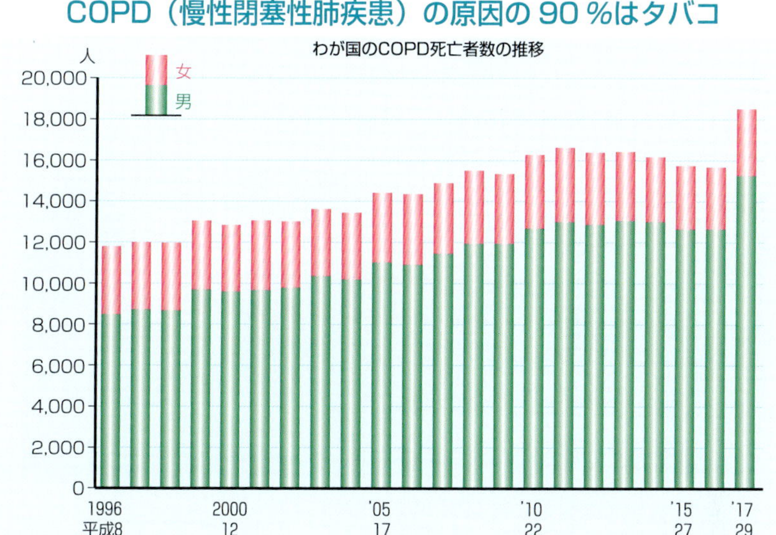

資料　厚生労働省「人口動態統計」

COPD（慢性閉塞性肺疾患）は、主として長期の喫煙によってもたらされる肺の炎症性疾患で、咳・痰・息切れを主訴として緩徐に呼吸障害が進行する。かつて肺気腫、慢性気管支炎と称されていた疾患が含まれている。COPD による死亡数は図のように長年の増加からやや減少傾向になったが、平成 29 年は大きく増加した*。

COPD の原因の 90 %はタバコであり、COPD の発症予防と進行の阻止は**禁煙**によって可能である。また、**薬物等による治療**によって、短期的には症状（息切れ）、呼吸機能が改善し、長期的には QOL（生活の質）の改善、増悪頻度の減少、進行の抑制、生命予後の改善が期待できる。

平成 12 年の日本における、40 歳以上の COPD 有病率は 8.6 %、患者数 530 万人と推定されている。一方で、29 年患者調査によると医療機関に入院または通院している患者数は約 26 万人であり、大多数の患者が未診断、未治療の状況におかれている。そのため、COPD の認知度の向上を図る必要がある。

（＊平成 29 年から ICD-10（2013 年版）準拠が適用されたための影響である）

参照：厚生労働省健康日本 21（第二次）の推進に関する参考資料

総合的なたばこ対策が有効、加熱式たばこにも有害物質

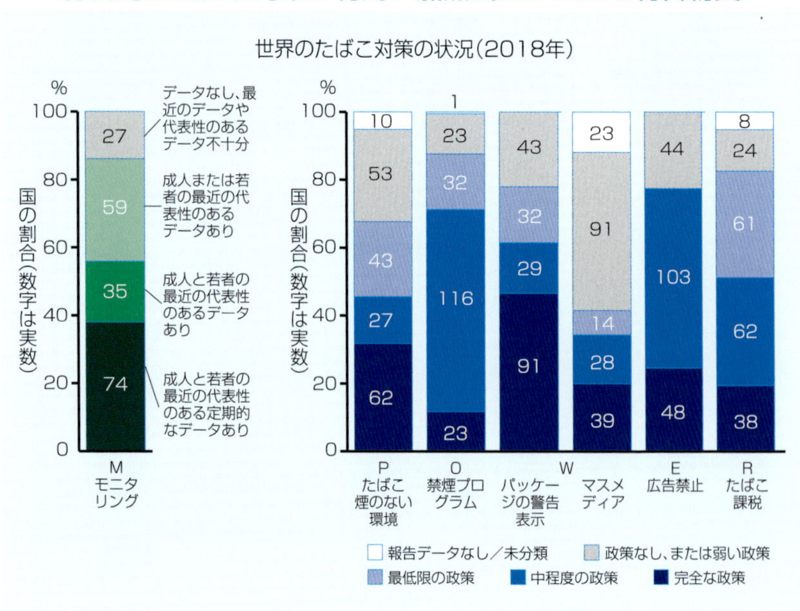

資料　WHO「WHO Report on the Global Tobacco Epidemic,2019」
注　1）カテゴリーの定義については、資料のテクニカルノートを参照のこと。
　　2）ブータンとブルネイでは、たばこの販売が禁止されているのでRから除外。

WHO（世界保健機関）は、「**MPOWER**」と呼ばれる総合的なたばこ対策を推進している。すなわち、Monitor: たばこ使用と政策のモニタリング、Protect: 受動喫煙からの保護、Offer: 禁煙支援・治療、Warn：危険性の警告（警告表示、マスメディアキャンペーン）、Enforce：たばこ広告・販促・後援の禁止、Raise:たばこ税の引き上げ、の6分野である。例えば、未成年者の喫煙防止には、健康教育に加え、学校の敷地内禁煙、広告や後援の禁止、たばこ税引き上げによる製品の値上げなど、総合的な対策が有効である。2018年現在のMPOWERに沿った世界のたばこ対策の実施状況を図に示した。

近年、わが国では、燃焼を伴わず、たばこ葉を加工したものを電気的に加熱し吸引する「**加熱式たばこ**」と呼ばれる新型たばこの利用が増えている。WHOは、加熱式たばこは「たばこ」であり、有害物質には紙巻きたばこより濃度が低いものもあるが、必ずしも健康被害の減少に結びつかないとしている。

参照：本編104～106頁〔第3編第1章　2.2〕(5)喫煙

特集-10　受動喫煙対策

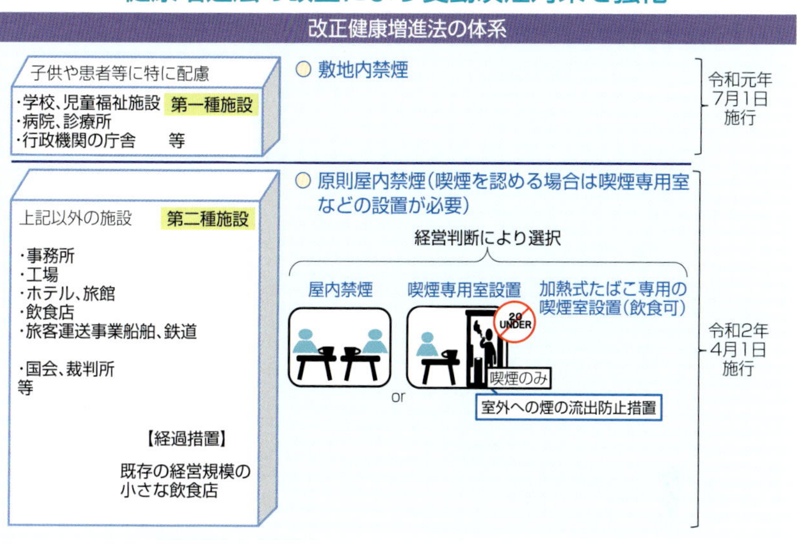

「健康増進法の一部を改正する法律」（平成 30 年）により、受動喫煙対策が強化された。改正の趣旨は、望まない受動喫煙の防止を図るため、多数の者が利用する施設等の区分に応じ、当該施設等の一定の場所を除き喫煙を禁止するとともに、当該施設等の管理について権限を有する者が講ずべき措置等について定めることである。基本的な考え方として、①「望まない受動喫煙」をなくすこと、②子どもや患者など、特に受動喫煙の影響が強い人が利用する施設の受動喫煙防止の徹底、③施設の類型・場所ごとに敷地内禁煙、屋内禁煙などを定めることである。この考え方に基づいて、施設管理者は主たる利用者の違いや、受動喫煙が他人に与える健康影響の程度に応じ、禁煙措置や喫煙場所の特定を行うとともに、掲示の義務づけなどの対策を講ずる。この改正で、知事は違反者に対して指導・命令を行うことができ、罰則規定が設けられた。施行日は令和 2 年 4 月 1 日（一部は元年に施行）である。

参照：厚生労働省ホームページ　受動喫煙対策　改正健康増進法の体系

コラム 1　医学系研究と倫理

新指針施行：医学研究の倫理は人権の尊重と科学的妥当性が両輪

医学系研究に関する倫理指針の概要図

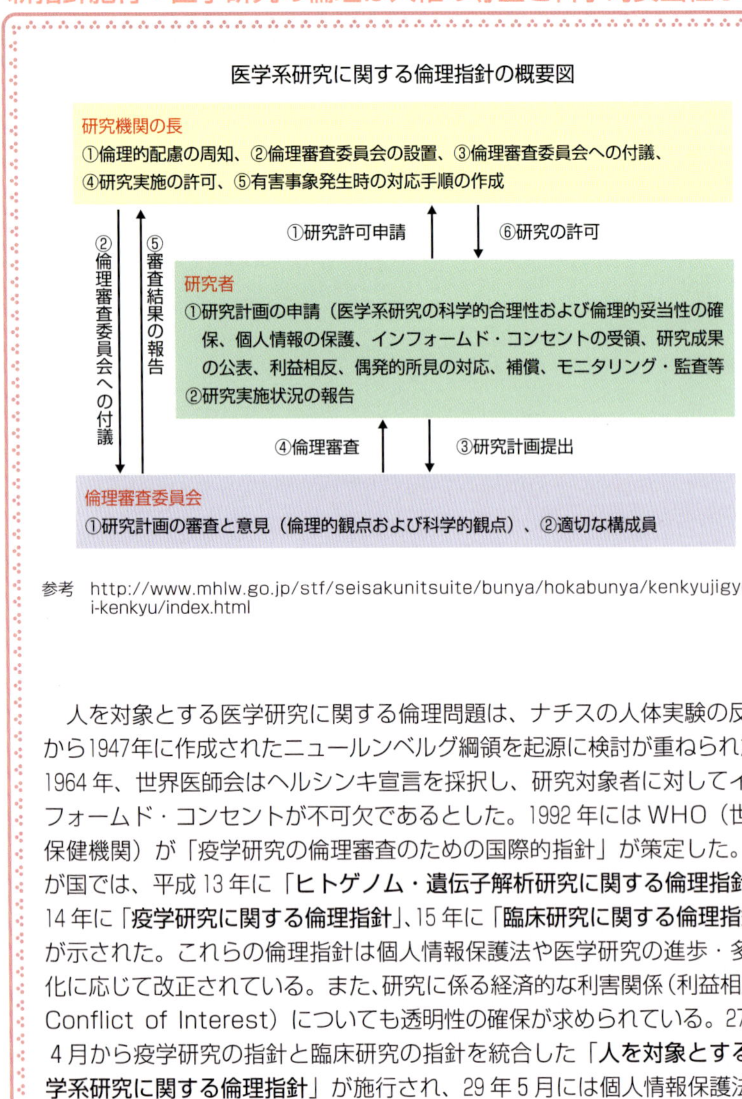

参考　http://www.mhlw.go.jp/stf/seisakunitsuite/bunya/hokabunya/kenkyujigyou/i-kenkyu/index.html

人を対象とする医学研究に関する倫理問題は、ナチスの人体実験の反省から1947年に作成されたニュールンベルグ綱領を起源に検討が重ねられた。1964 年、世界医師会はヘルシンキ宣言を採択し、研究対象者に対してインフォームド・コンセントが不可欠であるとした。1992 年には WHO（世界保健機関）が「疫学研究の倫理審査のための国際的指針」が策定した。わが国では、平成 13 年に「**ヒトゲノム・遺伝子解析研究に関する倫理指針**」、14 年に「**疫学研究に関する倫理指針**」、15 年に「**臨床研究に関する倫理指針**」が示された。これらの倫理指針は個人情報保護法や医学研究の進歩・多様化に応じて改正されている。また、研究に係る経済的な利害関係（利益相反：Conflict of Interest）についても透明性の確保が求められている。27 年 4 月から疫学研究の指針と臨床研究の指針を統合した「**人を対象とする医学系研究に関する倫理指針**」が施行され、29 年 5 月には個人情報保護法等の改訂に伴って改正された。さらに、30 年 4 月には製薬会社が資金提供を行う臨床研究などを対象とした「**臨床研究法**」が施行された。

1-1　衛生行政を巡る社会環境の変化

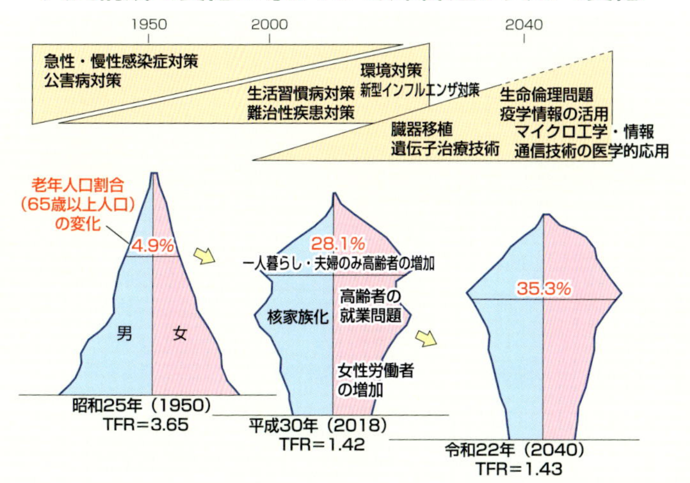

資料　総務省統計局「国勢調査報告」「人口推計（平成 30 年 10 月 1 日現在）」、国立社会保障・人口問題研究所「日本の将来推計人口（平成 29 年推計）」
注　%の値は、65 歳以上人口の割合である。また、TFR は合計特殊出生率である。

日本の**人口ピラミッド**は昭和 25 年当時は高齢者の数が少なく、若年者になるほど数が増加する富士山型を示していた。この形状は高出生、高死亡の人口動態の特徴を有する。その後は 1 次、2 次のベビーブームによる突出はあるものの徐々に出生率は低下した。また、死亡率の低下により平均余命は飛躍的に延長して高齢者は増加した。これらの少子高齢化現象の結果として、平成 30 年の日本の人口ピラミッドは 69 ～ 71 歳と 44 ～ 47 歳を中心とした 2 つの膨らみを持つ「つぼ型」となっている。

人口構成の変化に伴って衛生行政における課題も変化してきている。とりわけ高齢者の医療費の増大や高齢者介護の問題、労働人口の減少に伴う雇用者の確保の問題、経済をはじめとする様々な領域における都会と地方の地域格差の問題などが注目されている。また、以前は感染症対策や公害対策が衛生行政の中心課題であったが、現在は生活習慣病対策に重点が置かれている。

一方、遺伝子工学の発達や臓器移植などの先進的な医療の実現は、同時に、生命倫理問題、個人情報保護問題などにおける新たな課題も生じさせており、適切な対応が求められている。

参照：本編 11 ～ 46 頁（第 1 編　わが国の社会保障の動向と衛生行政の体系）
47 ～ 52 頁（第 2 編第 1 章　1. 全国人口の動向）

収入と支出からみる社会保障給付費

平成 29 年度（'17）

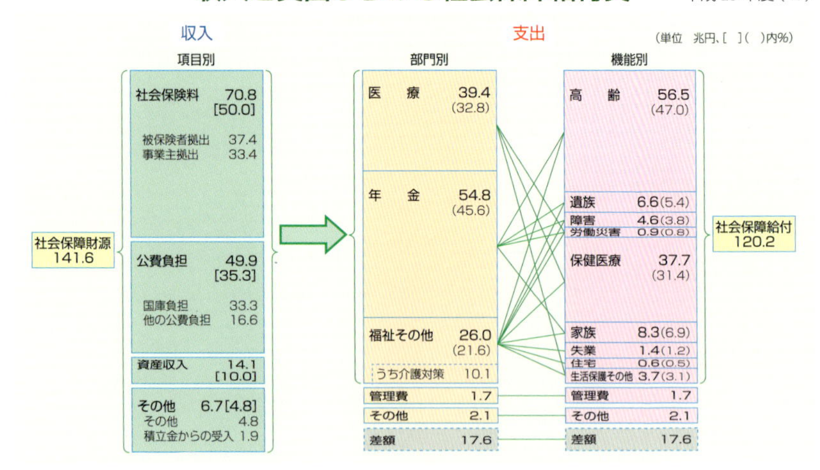

資料　国立社会保障・人口問題研究所「平成 29 年度社会保障費用統計」
注　1）平成 29 年度の社会保障財源は 141.6 兆円（他制度からの移転を除く）であり、[　　]内は社会保障財源に対する割合。
　　2）平成 29 年度の社会保障給付費は 120.2 兆円であり、(　　)内は社会保障給付費に対する割合。
　　3）収入のその他には積立金からの受入等を含む。支出のその他には施設整備費等を含む。
　　4）差額は社会保障財源（141.6 兆円）と社会保障給付費、管理費、運用損失、その他の計（124.0 兆円）の差であり、他制度からの移転、他制度への移転を含まない。差額は積立金への繰入や翌年度繰越金である。

医療保険、介護保険、年金保険、社会福祉、生活保護などの社会保障の諸制度による給付を総額でとらえたものが**社会保障給付費**である。平成 29 年度の社会保障給付費の総額は約 120.2 兆円、前年度比伸び率は 1.6 %、対国内総生産比は 21.97 %、国民 1 人当たりは約 94.9 万円である。

社会保障給付費を収入（財源）面からみると社会保険料が全体の 50.0 %を占め、以下、公費（税）が 35.3 %、資産収入その他が 14.7 %となっている。部門別では「年金」は昭和 56 年から一貫して社会保障給付費の最大部分を占めている。「年金」の割合が大きく、「福祉その他」の割合が小さいことが先進諸国と比較した場合のわが国の特徴である。

社会保障給付費の国民所得に対する比率を国際比較すると、わが国は米国並の水準を上回るものの、欧州諸国に比べると相対的にそれほど高くない。しかし今後、わが国は欧米諸国を上回るペースで人口構成の高齢化が進むと予測されており、社会保障給付費の規模は引き続き拡大するとみられる。

参照：本編 16 ～ 23 頁（第 1 編第 1 章　1.3〕わが国の社会保障の動向、4〕保健医療を取り巻く社会保障の各分野の動向）、470 頁（第 65 表）

1-3　衛生行政活動の概況

保健師の活動、生活環境衛生職員の活動による健康生活の保障

都道府県保健所と市区町村の保健師の活動項目

（単位　%）　平成30年度（'18）

	都道府県	市町村	保健所設置市・特別区
総数	100.0	100.0	100.0
保健福祉事業	20.0	41.6	45.8
地区管理	15.2	7.2	9.8
コーディネート	15.3	11.0	11.8
教育・研修	7.3	2.1	2.8
業務管理	7.5	5.3	8.2
業務連絡・事務	26.5	23.8	15.3
研修参加	4.6	4.1	3.6
その他	3.5	5.0	2.8

資料　保健師活動項目：厚生労働省「保健師活動領域調査」
市町村保健センター数：厚生労働省健康局地域保健室調べ
保健所数：厚生労働省健康局地域保健室調べ
注　市町村保健センター数は平成 29 年 4 月 1 日現在。保健所数は平成 31 年 4 月 1 日現在。

衛生行政は**憲法 25 条**を受けた様々な法令の規定に基づき、すべての国民の健康の保持増進を図るため、国や地方公共団体によって行われる公の活動である。衛生行政の諸活動は、家庭や地域社会の生活を対象とした一般衛生行政（狭義の**衛生行政**）、学校生活を対象とした**学校保健行政**、職場の生活を対象とした**労働衛生行政**、環境要因と健康との関連を対象とした**環境保健行政**などに大別される。

わが国の一般衛生行政は、国（厚生労働省）－都道府県（衛生主管部局）－保健所－市町村（衛生主管課係）の基本的な体系が確立されており、活動の拠点として、保健所、市町村保健センターがある。**保健所**は疾病の予防、健康増進、環境衛生などの公衆衛生活動の中心的役割を担う機関であり、医師、歯科医師、薬剤師、獣医師、診療放射線技師、臨床検査技師、管理栄養士、保健師などの様々な職種が職務に従事している。**市町村保健センター**は地域住民に対して健康相談、健康診査、保健指導などの身近な対人保健サービスを総合的に行う機関であり、保健師が中心となって運営されている。保健所が地域保健における広域的、専門的、技術的拠点であるのに対して、市町村保健センターは市町村レベルの健康づくりを推進するための総合的拠点としての役割を果たしている。

参照：本編 29 ～ 46 頁（第 1 編第 2 章　衛生行政活動の概況）

1-4　健康危機管理体制の整備

健康被害の発生予防、拡大防止、治療などの対策

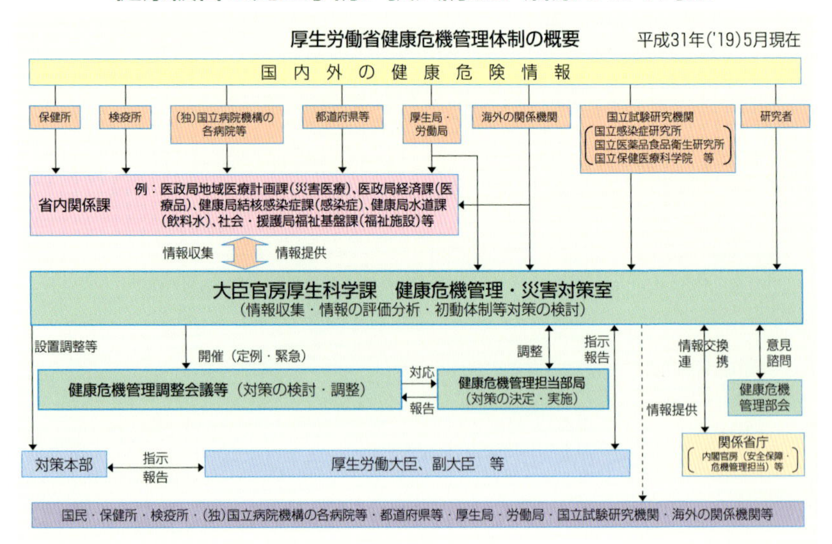

「健康危機管理」とは、国民の生命・健康の安全を脅かす事態に対し、健康被害の発生予防、拡大防止、治療などの対策を講じることである。

厚生労働省では、平成 9 年に厚生省**健康危機管理基本指針**（13 年以降、**厚生労働省健康危機管理基本指針**）に基づき、健康危機管理担当部局の連絡調整を行うため**危機管理調整会議**を設置し、大臣官房厚生科学課に設置された健康危機管理・災害対策室が事務局として連絡調整を行うとともに、健康危機の発生やそのおそれがある場合には、対策本部を設置することとしている。

保健医療分野の災害対策において、平成 29 年に「大規模災害時の保健医療活動に係る体制整備について」、30 年に「災害時健康危機管理支援チーム活動要領について」の通知を発出した。**災害時健康危機管理支援チーム**（DHEAT）は、専門的な研修・訓練を受けた被災都道府県以外の都道府県等の職員により構成する応援派遣チームである。

また国際的には、平成 13 年に**世界健康安全保障イニシアティブ**（**GHSI：国際的なテロ対策・健康危機管理の連携**）が発足し、各国の連携が強化されている。17 年には**国際保健規則**（**IHR2005、WHO による公衆衛生上の脅威の連携**）が大規模に改正され、19 年より**改正 IHR** が発効している。

参照：本編 37 ～ 39 頁（第 1 編第 2 章　8.健康危機管理体制の整備）

1-5　保健医療分野の国際協力

国際協力には交流と協力が

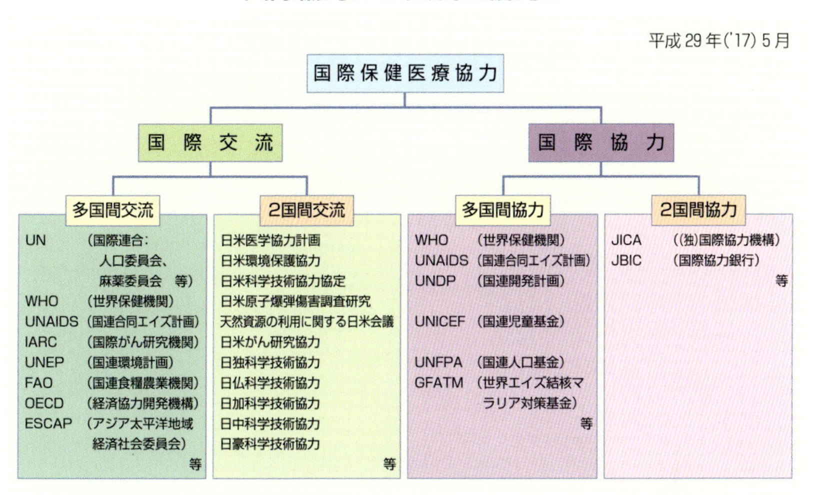

国際協力は、技術・情報の交換、人的交流を通じて自国民の生活の向上を図る**国際交流**と、開発途上国に対してわが国の人的・物的・技術的資源を提供し相手国民の生活の向上を図る狭義の国際協力とに大別される。

多国間協力は、**世界保健機関**（WHO）や**国連合同エイズ計画**（UNAIDS）などの国際機関への資金拠出や専門家派遣に分けられる。政府ベースの2国間経済協力では、病院・看護学校の建設や医療資機材の整備などの無償資金協力、災害時緊急援助隊の派遣を含む専門家派遣や研修員受け入れなどの技術協力であり、主として、独立行政法人国際協力機構により実施されている。また、近年、NGOによる民間ベースの活動も活発に行われている。

国際保健の充実に向け多くの日本人専門家が従事するWHOは、国際連合の保健医療専門機関である。現在、エイズ対策、たばこ対策への取り組みが強化されている。ジュネーブに本部事務局を置くとともに、世界を6つの地域に分けて担当地域事務局を設置して、地域性の高い国際保健問題に迅速、適切な対応を図っている。日本は地域事務局がマニラに所在する西太平洋地域に属している。

参照：本編39～46頁（第1編第2章　9.保健医療分野における国際協力）

2-1　人口静態（国勢調査）

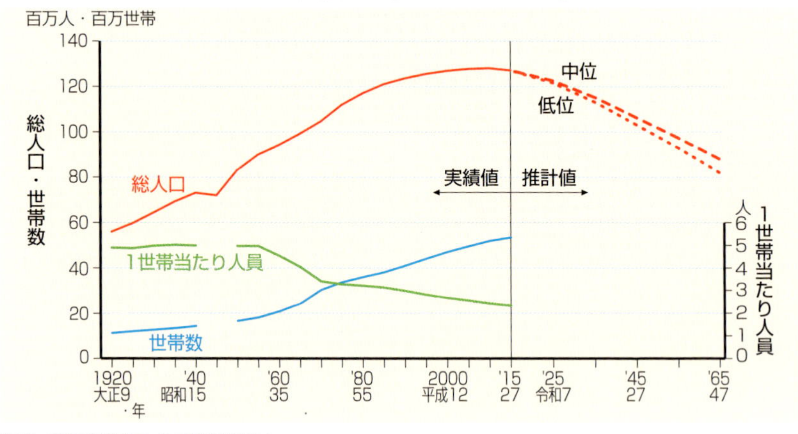

資料　総務省統計局「国勢調査報告」
　　　国立社会保障・人口問題研究所「日本の将来推計人口（平成29年推計）」
注　　推計値は出生中位・低位（死亡中位）の仮定による。

人口静態は、人口のある時点での総数、年齢別等の静止した姿を指す。**国勢調査**はその主要統計で、5年に1回、10月1日に実施される。全国を1地区約50世帯からなる国勢調査区に分け、調査員が調査票を世帯ごとに配布、回収する（平成27年調査はインターネット回答も導入）。国勢調査人口はわが国の人口の確定数という位置付けであり、中間年の人口（人口推計）は人口動態統計（**2-5節**）の出生・死亡、出入国の状況から推計される。

平成30年10月1日現在の**総人口**（人口推計）は1億2644万人、男は6153万人、女は6491万人で前年に比べ26万人減少した。人口増減率はかつて＋1％以上であったが、近年、著しく低下し、17年は戦後初めて前年より減少となった。その後の推移は横ばいであったが、23年以降は減少傾向が続いている。近年、世帯数が著しく増加し、1世帯当たり人員が減少している。

将来の人口推計では、将来の出生、死亡等の推移が不確実であるため、出生推移・死亡推移にそれぞれ中位、高位、低位の3仮定が設けられている。出生中位（死亡中位）の仮定では、総人口は今後、長期にわたって減少し、令和37年には1億人を下回り、47年に約8800万人になると推計される。出生推移が低位の仮定ではこれよりも人口減少が大きい。

参照：本編47～52頁（第2編第1章　1.全国人口の動向）

2-2　年齢別人口

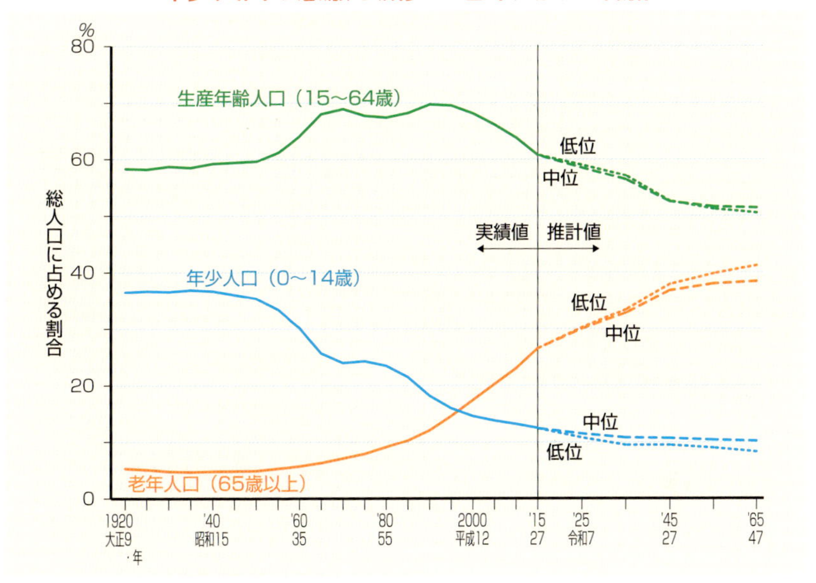

資料　総務省統計局「国勢調査報告」
　　　国立社会保障・人口問題研究所「日本の将来推計人口（平成 29 年推計）」
注　　推計値は出生中位・低位（死亡中位）の仮定による。

平成 30 年における年齢 3 区分別の人口構成割合は、**年少人口**（0 ～ 14 歳）が 12.2 %、**生産年齢人口**（15 ～ 64 歳）が 59.7 %、**老年人口**（65 歳以上）が 28.1 %で、高齢化がさらに進んだ。年少人口と老年人口の和を**従属人口**という。今後も**年少人口割合**が低下、**老年人口割合**が上昇し、令和 47 年には出生中位（死亡中位）推計でそれぞれ 10.2 %、38.4 %と、老年人口と年少人口の比（×100＝**老年化指数**）の大幅な上昇が予測されている。年少人口、老年人口、従属人口それぞれを分子、生産年齢人口を分母とした比（×100）を、**年少人口指数**、**老年人口指数**、**従属人口指数**という。

労働力調査によると、平成 30 年平均の**労働力人口**（就業者と完全失業者の合計）は 6830 万人で、前年に比べ 110 万人増加した（男は 3817 万人で 33 万人増加、女は 3014 万人で 77 万人増加）。完全失業者数は 166 万人であり、前年に比べて 24 万人減少した。完全失業率（労働力人口に占める完全失業者の割合）は前年よりも 0.4 ポイント低下して 2.4 %となった。

参照：本編 47 ～ 52 頁（第 2 編第 1 章　1.全国人口の動向）

2-3　世帯構造

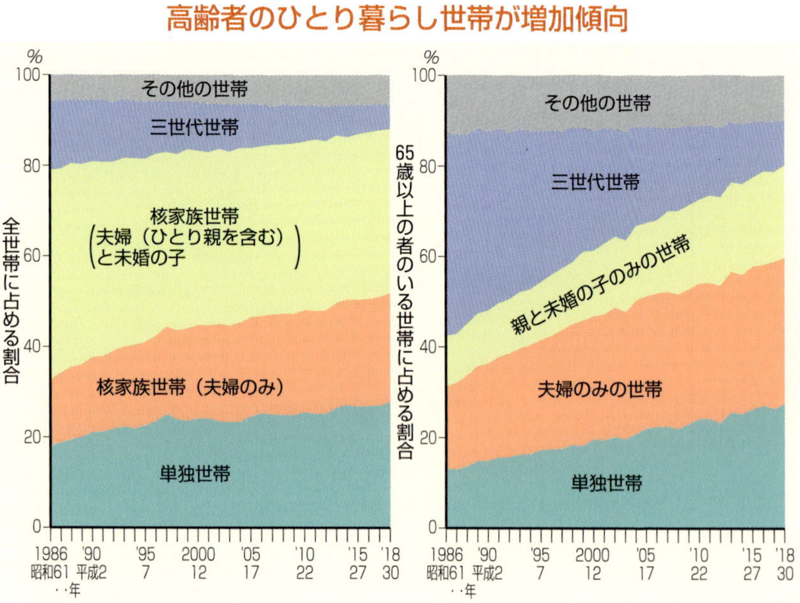

高齢者のひとり暮らし世帯が増加傾向

資料　厚生労働省「国民生活基礎調査」
注　　平成７年は兵庫県を除いたものである。平成28年は熊本県を除いたものである。

平成30年国民生活基礎調査（**2-15節**）で世帯構造をみると、「夫婦と未婚の子のみの世帯」が最多（全世帯の29.1％）、次いで「単独世帯」（同27.7％）、「夫婦のみの世帯」（同24.1％）である。単独世帯や夫婦のみの世帯を始めとする小規模な世帯の増加によって１世帯当たり平均世帯人員は低下傾向である。

65歳以上の者のいる世帯は、2493万世帯（全世帯の48.9％）である。その構成割合は、夫婦のみの世帯（65歳以上の者のいる世帯の32.3％）と単独世帯（同27.4％）が多く、当該世帯の6割近くが夫婦ふたりまたはひとり暮らしであり、65歳以上世帯人員の18.5％にあたる683万人がひとり暮らしである。

国立社会保障・人口問題研究所の将来推計では、世帯主が65歳以上の世帯は平成27年の1918万世帯が令和2年には2000万世帯を超え、22年には2242万世帯となり、特に、単独世帯の割合が拡大するとされている。

参照：本編47～52頁（第２編第１章　1.全国人口の動向）

2-4　都道府県別人口

老年人口割合が高いほど人口減少が著しい

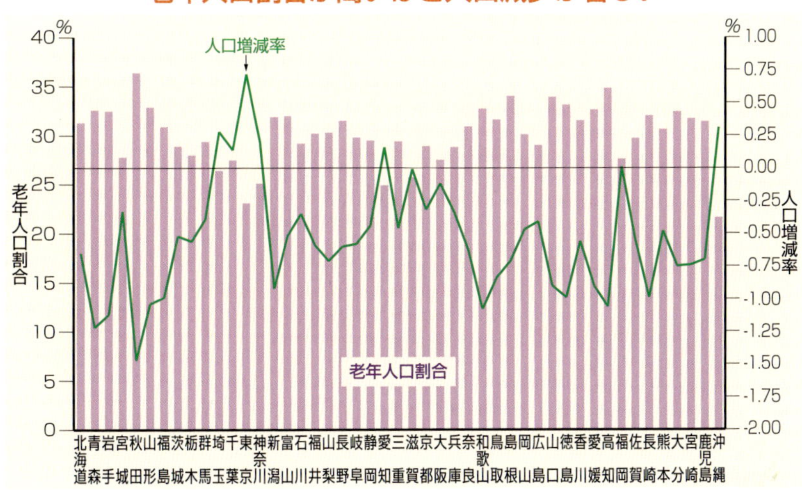

資料　総務省統計局「人口推計（平成 30 年 10 月 1 日現在）」
注　　人口増減率は平成 29 年 10 月～ 30 年 9 月、老年人口割合は平成 30 年 10 月 1 日現在である。

平成 30 年の東京都の人口は 1382 万人で、次いで神奈川県、大阪府、愛知県等であり、 9 都道府県で 500 万人を超えている。100 万人未満は鳥取県、島根県などの 10 県である。人口増減率は**自然増減率**（出生率と死亡率の差、**2 - 5 節**）と、**社会増減率**（他からの転入と他への転出の差の人口に対する比）で規定され、30 年（29 年 10 月～ 30 年 9 月）は東京都、沖縄県、埼玉県の順で高い。人口が増加したのは 7 都県、減少したのは 40 道府県で、秋田県（△ 1.47 %）、青森県（△1.22 %）などで特に低い。

平成 30 年の老年人口割合は秋田県が 36.4 %と最も高く、次いで高知県、島根県など 26 県で 30% 以上である。沖縄県が 21.6 %と最も低く、次いで東京都、愛知県などが低い。年少人口割合は出生率が高い沖縄県が 17.0 %で最も高く、秋田県の 10.0 %が最も低い。すべての都道府県で老年人口割合は前年より上昇、生産年齢人口割合は同率の東京以外で低下、年少人口割合は同率の 4 都県以外で低下である。老年人口割合の高い都道府県ほど人口増減率がマイナス傾向にある。

参照：本編 52 ～ 54 頁（第 2 編第 1 章　2.都道府県別人口と世帯数の動向）

2-5　人口動態の概況

拡大する“自然減少”

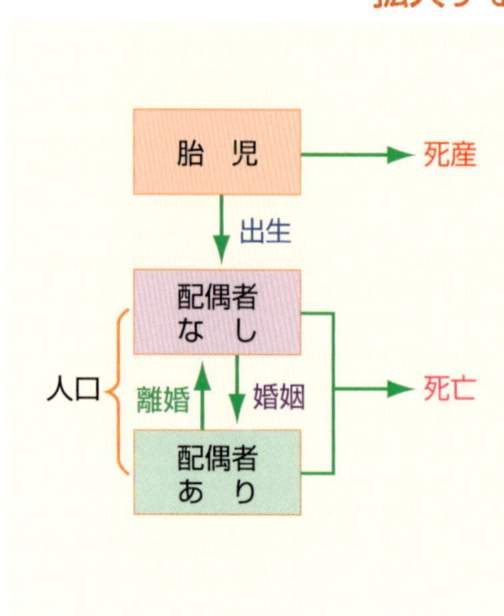

	平成30年（'18）	
	実数	率[2)]
出　　生	918 397	7.4
死　　亡	1 362 482	11.0
乳児死亡	1 748	1.9
新生児死亡	801	0.9
自然増減[1)]	△444 085	△3.6
死　　産	19 608	20.9
周産期死亡	3 046	3.3
婚　　姻	586 438	4.7
離　　婚	208 333	1.68

資料　厚生労働省「平成 30 年人口動態統計月報年計（概数）の概況」
注　　1）年間出生数－年間死亡数
　　　2）出生、死亡、自然増減、婚姻、離婚は日本人人口 1,000 に対する率。乳児死亡、新生児死亡は年間出生数 1,000 に対する率。死産は年間出産件数（出生＋死産）1,000 に対する率。

$$周産期死亡率=\frac{妊娠満22週以後の死産数+早期新生児死亡数}{出生数+妊娠満22週以後の死産数}\times 1{,}000$$

人口動態統計は人口の動きに関する 5 つの届出票（**出生、死亡、死産、婚姻、離婚**）から作成される。平成 30 年（概数）、出生数は 91 万 8 千人、死亡数は 136 万 2 千人、自然増減数は△ 44 万 4 千人（前年より 5 万人減少が拡大）で、12 年連続でマイナスとなった。人口千人当たりそれぞれ 7.4、11.0、△ 3.6 である。死産数（妊娠満 12 週以後の死児の出産数）は 2 万胎で、出産（出生＋死産）千件当たり 20.9 である。婚姻件数は 58 万 6 千件、離婚件数は 20 万 8 千件であり、人口千人当たりそれぞれ 4.7 と 1.68 である。29 年と比較すると、30 年は死亡数が増加、出生数、死産数、婚姻件数、離婚件数は減少した。

乳児死亡数（1 歳未満死亡数）は 1,748 人、新生児死亡数（生後 4 週未満死亡数）は 801 人である。周産期死亡数（妊娠満 22 週以後の死産数＋生後 1 週未満死亡数）は 3,046 胎・人で、平成 29 年より 262 胎・人減少した。

参照：本編 56 ～ 80 頁（第 2 編第 2 章　人口動態）

2-6　出生―合計特殊出生率

1 人の女性が一生の間に生む子ども数は平均 1.42 人

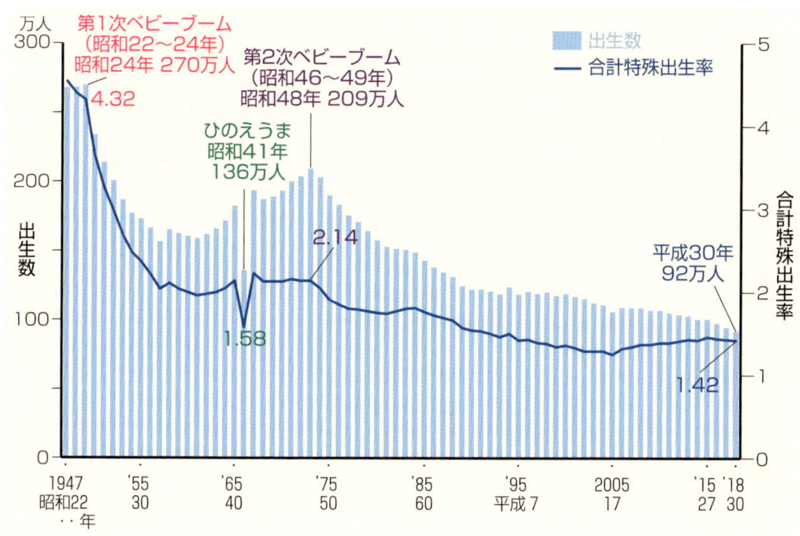

資料　厚生労働省「人口動態統計」（平成 30 年は概数である）

出生数の推移をみると、ベビーブームの第 1 次（昭和 22 ～ 24 年）と第 2 次（46 ～ 49 年）の 2 つの山を経て、減少傾向である。**合計特殊出生率**は出生力の主な指標で、その年次の年齢別出生率が続くと仮定した場合に 1 人の女性が生涯に生む子ども数を意味する**期間合計特殊出生率**と、実際に 1 人の女性が一生の間に生む子どもの数を表す**コーホート合計特殊出生率**がある。通常は前者を指し、これが人口置換水準（約 2.1）を下回った状態が継続すると、長期的には人口が減少する。昭和 22 ～ 49 年（41 年の「ひのえうま」を除く）は 2 以上であったが、50 年以降は低下傾向。平成 17 年に 1.26 で過去最低となった後は微増傾向が続き、27 年に 1.45 となったが、その後は低下し、30 年は 1.42 である。 1 人の女性が生涯に生む女子人数を意味する**総再生産率**と、出産年齢までの生存確率が考慮された**純再生産率**は、29 年はそれぞれ 0.70 と 0.69 であった。

欧米の多くの国でも、合計特殊出生率は 1965 年以降低下した。フランス、スウェーデンでは 1990 年代に最低となった後、緩やかに上昇し、近年は緩やかな低下傾向で、それぞれ 1.90 と 1.78（2017 年）である。米国は、近年は低下傾向で 2016 年は 1.82 である。ドイツは低いが 2011 年の 1.36 から 2017 年は 1.57 と上昇している。イタリアは 1.32（2017 年）で日本よりも低い。

参照：本編 56 ～ 60 頁（第 2 編第 2 章　1.出生）

2-7　出生―母の年齢、妊娠期間、出生体重

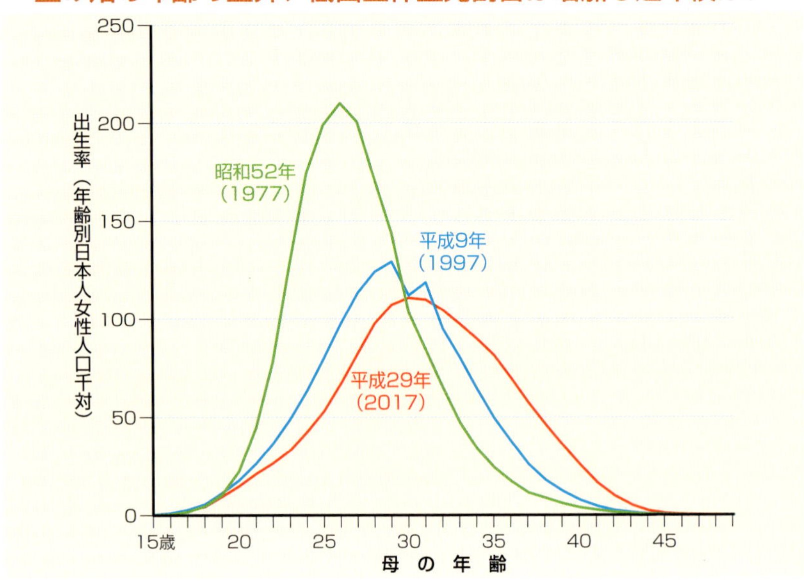

注　厚生労働統計協会で算出

母親の年齢別にみた女性人口千対の出生率を、昭和 52 年（42 年前）、平成 9 年（22 年前）と比較する。昭和 52 年は 25 ～ 27 歳、平成 9 年は 28 ～ 29 歳にピークがあるが、29 年は 29 ～ 32 歳にピークがある。29 年は 20 歳代の低下が著しく、32 歳以降では増加しているが、出生率が最も高い年齢で比較すると昭和 52 年の約半分である。合計特殊出生率（**2 - 6 節**）の近年の低下が、主に 20 歳代の出生率低下によることが分かる。第 1 子出生時の母親の平均年齢は 30.7 歳で、昭和 25 年よりも 6.3 歳高い。また、結婚後、第 1 子出生までの平均期間は 2.43 年で、昭和 55 年よりも 0.82 年長い。

妊娠期間（早期：満 37 週未満、正期：満 37 週～満 42 週未満、過期：満 42 週以上）をみると、正期が 90 %代前半で推移している。早期は増加傾向、過期は減少傾向にあったが、近年はいずれもほぼ横ばいとなり、平成 29 年は 5.7 %と 0.2 %である。出生体重をみると、**低体重児**（出生時体重 2.5 kg 未満）の割合が昭和 51 年以降上昇傾向にあったが、近年は横ばいで推移し、平成 29 年は男 8.3 %、女 10.6 %である。

参照：本編 56 ～ 60 頁（第 2 編第 2 章　1.出生）

2-8　年齢別死亡

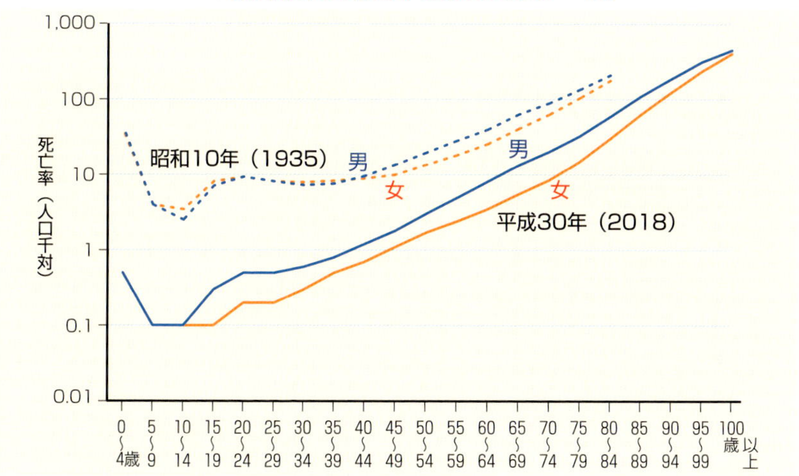

資料　厚生労働省「人口動態統計」（平成 30 年は概数である）
注　　1）昭和 10 年の 80 〜 84 歳は、80 歳以上の率である。
　　　2）縦軸は対数目盛り。

死亡率を年齢別にみると、身体機能の未熟さなどのために乳児期（1 歳未満）で高い。幼児期（1 〜 4 歳）と学童期（5 〜 14 歳）は低いが、青少年期（15 〜 29 歳）には若干高くなる。以降は、年齢とともにほぼ指数関数的（比が一定、片対数グラフで直線的）に急激に高くなる。年齢階級別死亡率を年次間、地域間で比較する場合、片対数グラフにすると見やすい。平成 30 年、人口千対の死亡率は、40 〜 44 歳が 0.93、60 〜 64 歳が 5.8、80 〜 84 歳が 42.2 などである。昭和 10 年の 20 歳代にある死亡率の山は結核によるものである。以後、この山は徐々に消失し、平成 30 年の 20 歳代の死亡は外因死（自殺、不慮の事故）と悪性新生物〈腫瘍〉によるものが多い。

死亡水準を年次間、地域間で比較する場合、死亡率は人口の年齢構成の影響を強く受けるので、それを調整した**年齢調整死亡率**を用いる。これは、観察集団の年齢階級別死亡率で基準人口（日本では通常「昭和 60 年モデル人口」を使用）が死亡した場合の仮想的死亡率である。人口の高齢化によって死亡数の単純人口比である粗死亡率は上昇しているが、いずれの年齢階級別死亡率も、ほぼ単調に低下しているため、年齢調整死亡率は低下する。

参照：本編 60 〜 71 頁（第 2 編第 2 章　2.死亡）

2-9　死因別死亡

死亡原因の多くを生活習慣病が占める

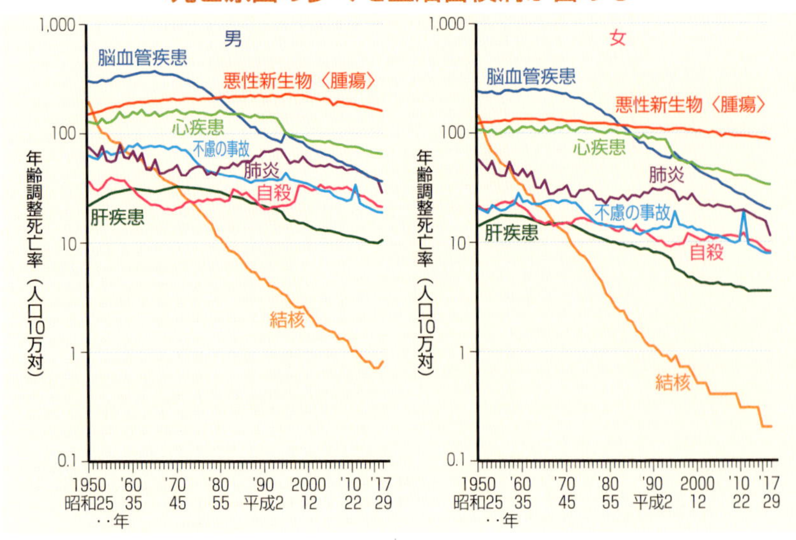

資料　厚生労働省「人口動態統計」
注　　年齢調整死亡率の基準人口は「昭和 60 年モデル人口」である。縦軸は対数目盛り。
　　　肝疾患の昭和 25 ～ 55 年は、各年データが不備のため、5 年間隔の折れ線表示としてある。

昭和 25 年頃から、主な死因は、結核などの感染症から生活習慣病（**特集 -1**）へ移った。悪性新生物〈腫瘍〉の年齢調整死亡率は近年は男女ともに低下、心疾患は男女ともに低下、脳血管疾患はかつて著しく高かったが 40 年以降急速に低下した。平成 30 年の主要 4 死因（悪性新生物〈腫瘍〉、心疾患、脳血管疾患、肺炎）の死亡数はそれぞれ総死亡の 27.4 %、15.3 %、7.9 %、6.9 %である。老衰が 8.0% に増加して初めて死因の第 3 位となった。50 ～ 80 歳代では悪性新生物〈腫瘍〉と心疾患が多く、これらの死因に次いで、55 ～ 84 歳では脳血管疾患、85 ～ 89 歳以上では肺炎が多い。30 ～ 40 歳代では自殺と悪性新生物〈腫瘍〉、青少年（15 ～ 29 歳）では自殺、不慮の事故、悪性新生物〈腫瘍〉、学童期（5 ～ 14 歳）では悪性新生物〈腫瘍〉、不慮の事故、自殺が多い（乳児は **2-13 節**）。

国際疾病分類（ICD）は死因の国際比較のため 1900 年に作成、医学の進展などで一定の期間をおいて修正される。平成 7 年からは第 10 回修正（ICD-10）、18 年からは ICD-10（2003 年版）準拠、29 年には ICD-10（2013 年版）準拠が適用され、分類体系や原死因選択ルールに変更が生じたため、経時的に死因統計をみる場合には注意を要する。 7 年前後の大きな動きや、29 年の肺炎の低下等はこの影響である。

参照：本編 60 ～ 71 頁（第 2 編第 2 章　2.死亡）

2-10　部位別悪性新生物〈腫瘍〉死亡

死亡数は、男は肺がん、女は大腸がんが最多

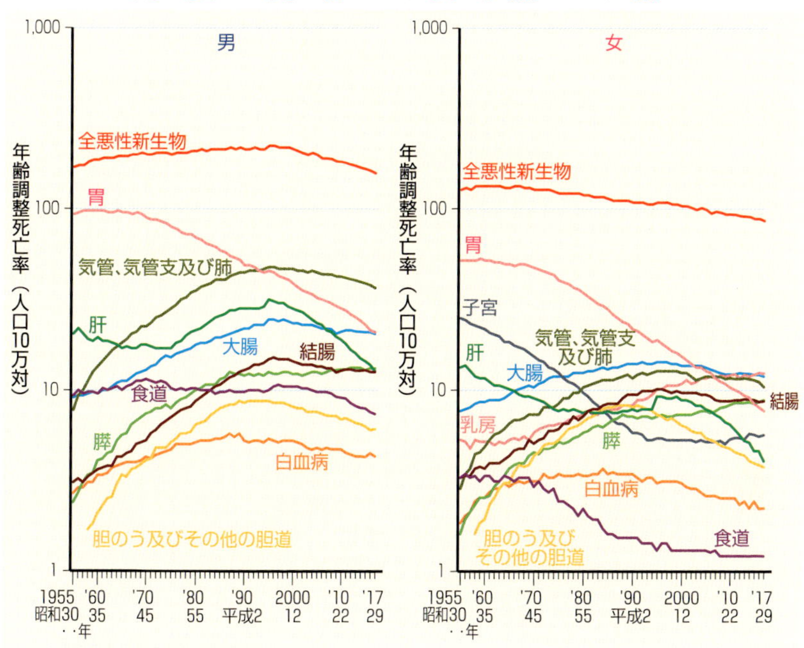

資料　厚生労働省「人口動態統計」
注　　年齢調整死亡率の基準人口は「昭和 60 年モデル人口」である。縦軸は対数目盛り。
　　　大腸は、結腸と直腸 S 状結腸移行部及び直腸を示す。ただし、昭和 40 年までは直腸肛門部を含む。
　　　結腸は大腸の再掲である。肝は肝及び肝内胆管である。

がん（**悪性新生物〈腫瘍〉**）は、昭和 56 年以降第 1 位の死因であり、死亡数・粗死亡率は一貫して上昇している。平成 30 年の部位別死亡数は、男では肺、胃、大腸、膵、肝の順に多く、女では大腸、肺、膵、胃、乳房の順に多い。年齢調整死亡率をみると、胃は男女とも低下傾向であり、これには生活様式の変化と早期発見・治療などが要因として考えられる。大腸は男女とも昭和 30 年代から長期的には上昇しているが、近年は横ばいである。肺は男女とも顕著に上昇し、昭和 30 年と比べると平成 29 年の男では 4.7 倍、女では 3.7 倍となったが、近年は微減傾向である。女の乳房は昭和 40 年代から長期上昇傾向を示し、昭和 30 年に比べると平成 29 年は 2.3 倍となった。子宮は低下傾向から横ばいである。膵は近年男女とも微増傾向、肝は近年男女とも低下傾向である。

参照：本編 60 ～ 71 頁（第 2 編第 2 章　2.死亡）

2-11　死亡の国際比較

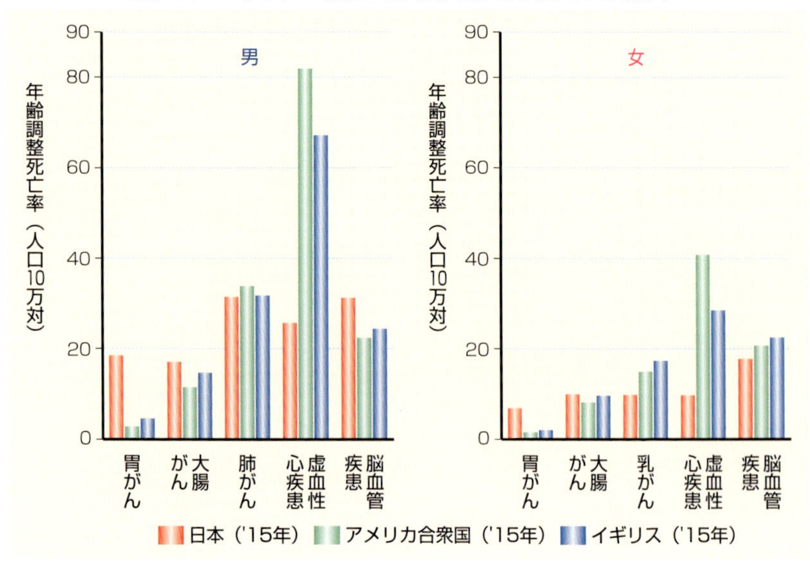

資料　厚生労働省「人口動態統計」
WHO Mortality Database.
注　年齢調整死亡率の基準人口は世界標準人口である。

年齢調整死亡率を欧米と比較すると、日本は男女とも胃がんが高く、女の乳がんは低いが、近年、日本はこれらの違いが縮小する方向に推移している。大腸がんと肺がんは、かつて米国やイギリスよりも男女ともに低かったが、近年、男女の大腸がんと男の肺がんは、これらの国々と同程度ないしやや高い。女の肺がんは引き続き低い。これらの変化には、生活習慣の欧米化等の影響が考えられる。虚血性心疾患は、日本が特に低く、現在まで上昇傾向は認められていないが、生活様式の近代化に伴う将来の上昇が懸念される。脳血管疾患は、1970年代前半まで著しく高かった。現在は大幅に改善されたが、男は依然高い傾向にある。

年齢階級別死亡率は、日本は1～4歳で若干改善の余地がある。溺死及び溺水による死亡率は、他の国と比べて75歳以上で極めて高い。自殺死亡率は先進国の中では高く、カナダ、イギリス、オーストラリアを除く各国は75歳以上で高いが、日本では加えて45～54歳でも高い。

参照：本編60～71頁（第2編第2章　2.死亡）

2-12　妊産婦死亡、死産、周産期死亡

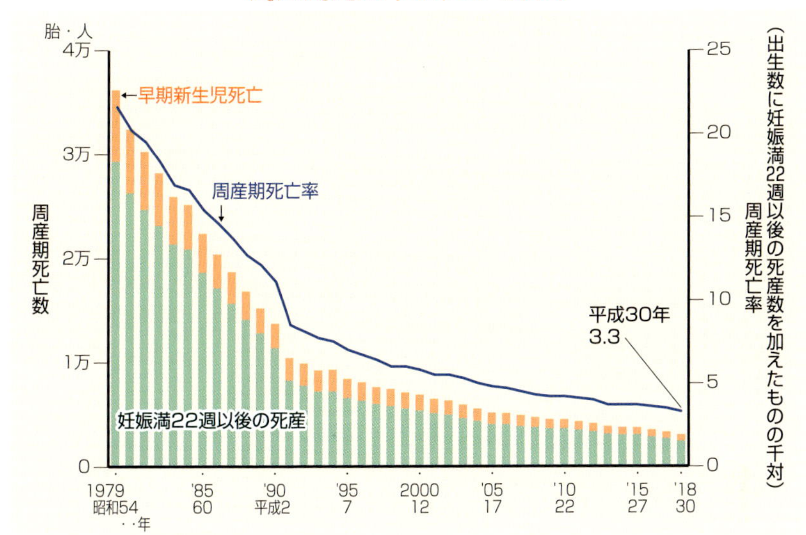

資料　厚生労働省「人口動態統計」（平成 30 年は概数である）

死産は妊娠満 12 週以後の死児の出産であり、**死産率**は出産数（出生数＋死産）千対の率である。**自然死産率**は低下傾向、**人工死産率**は平成 3 ～ 8 年に低下し、その後緩やかな上昇傾向となったが 15 年からは再度低下して 28 年は最低率の 10.9 となり、30 年は横ばいで 11.0 であった。周産期死亡は、妊娠満 22 週以後の死産と生後 1 週未満の死亡であり、ともに母体の健康状態に強く影響される共通性があるため、あわせて取りあげる。**周産期死亡率**は、出生数＋妊娠満 22 週以後の死産数（千対）の率で表す。周産期死亡率は低下し続けて 30 年は 3.3 であり、諸外国に比べ極めて低い。29 年で死亡原因をみると、児側病態では「周産期に発生した病態」が全体の 85.7 %と多く、母側病態では「母体に原因なし」が 41.1 %が最も多い。「現在の妊娠とは無関係の場合もありうる母体の病態」が 26.2 %、「胎盤、臍帯及び卵膜の合併症」が 23.4 %である。

かつて高かった**妊産婦死亡率**は、昭和 30 年代から大きく低下し、近年は横ばい傾向であり、平成 29 年は出産 10 万対 3.4（死亡数 33 人）である。

参照：本編 71 ～ 75 頁（第 2 編第 2 章　3.妊産婦死亡　4.死産　5.周産期死亡）

2-13　乳児死亡

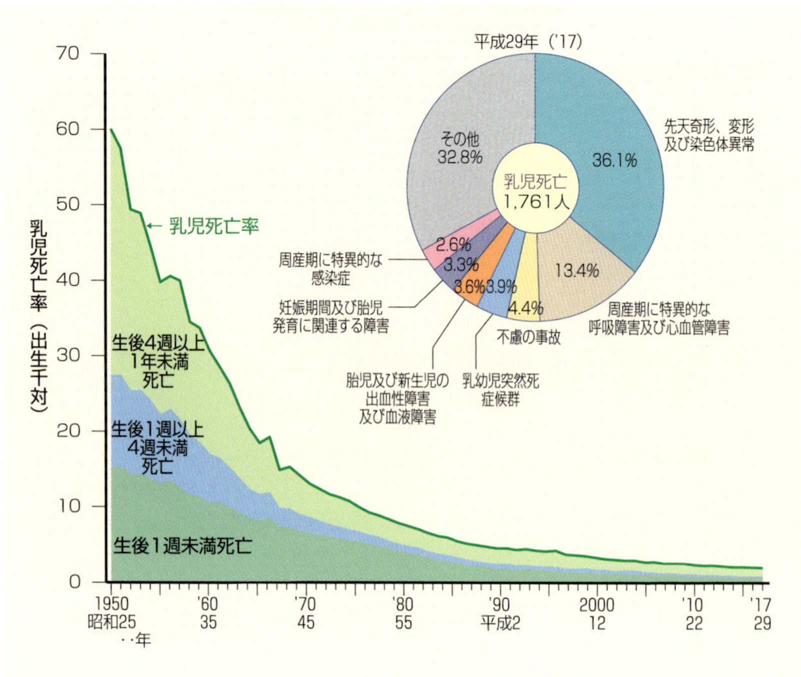

資料　厚生労働省「人口動態統計」

乳児死亡、新生児死亡、早期新生児死亡は、それぞれ生後１年未満、４週未満、１週未満の死亡である。**乳児死亡率、新生児死亡率、早期新生児死亡率**は、出生千対のそれぞれの死亡数で表す。いずれも急激に低下し、平成30年は、出生千対それぞれ1.9、0.9、0.7で、世界的に最も良好な水準にある。以前は新生児以後の乳児での低下による影響が顕著であったが、最近は早期新生児死亡での低下が大きい。

乳児死亡の原因は、平成29年では「先天奇形、変形及び染色体異常」が全体の36.1％で、次いで「周産期に特異的な呼吸障害及び心血管障害」「不慮の事故」「乳幼児突然死症候群」である。

参照：本編75～78頁（第２編第２章　6. 乳児死亡）

2-14　人口動態と生命表

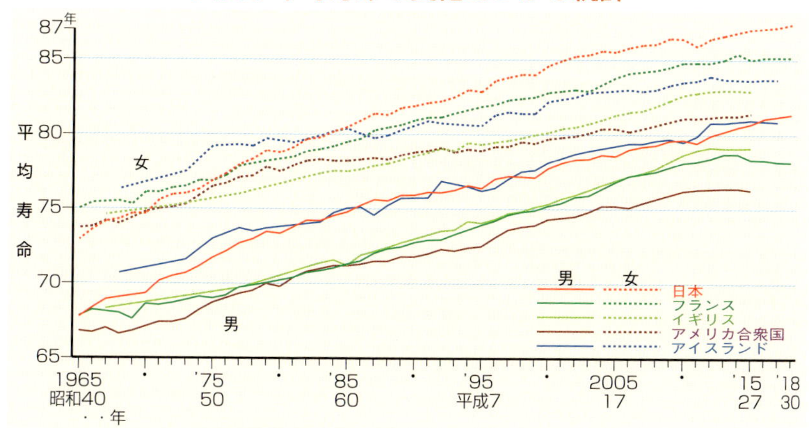

資料　厚生労働省「平成 30 年簡易生命表」
　　　諸外国は、当該政府からの資料による。

わが国の人口の動向を正確に把握するために、**出生**、**死亡**、**死産**、**婚姻**、**離婚**の５つの人口動態事象について、市町村への届出に基づいて、保健所、都道府県を経由して、毎月、国（厚生労働省）に情報が集められている。

生命表は、その１年間における死亡状況が今後変化しないと仮定したときに、各年齢の者が平均してあと何年生きられるかという期待値などを**平均余命**などの指標（生命関数という）によって表したものである。生命関数は男女別に各年齢の死亡件数と中央人口（７月１日現在）を基に計算される。０歳の平均余命である「**平均寿命**」は、その国や地域の死亡状況を集約したもので、健康水準の総合的指標として広く活用されている。平均寿命は単に長生きの指標ではないことに注意すべきである。

５年ごとの国勢調査人口と毎年の人口推計を基礎として、それぞれ完全生命表（確定版）と簡易生命表（公表が早い）が作成される。日本の平均寿命は、平成 30 年簡易生命表では男 81.25 年、女 87.32 年で、世界有数の水準である。

参照：本編 81 ～ 84 頁（第２編第３章　生命表）

2-15　国民生活基礎調査と患者調査

国民の生活や健康・受療の実態をつかむ統計として重要

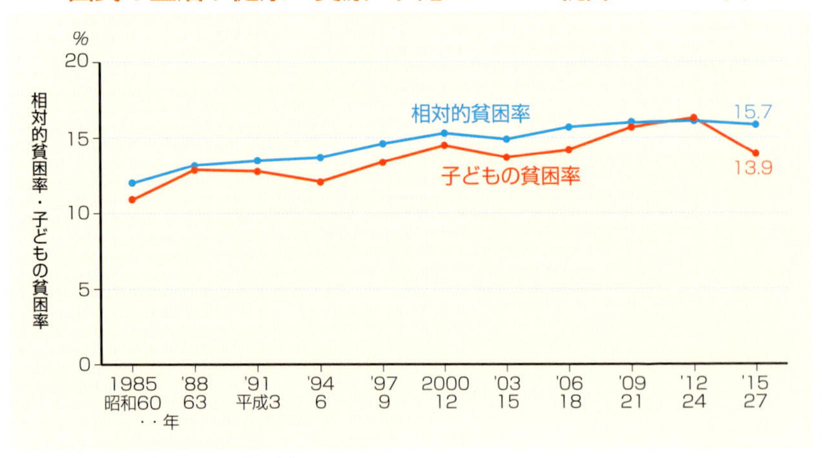

資料　厚生労働省「国民生活基礎調査」
注　1）「可処分所得」とは、所得から所得税、住民税、社会保険料および固定資産税を差し引いたものであり、手取り収入に相当する。
2）平成６年は兵庫県を、27 年は熊本県を除いたものである。

国民生活基礎調査は、保健、医療、福祉、年金、就業、所得など国民生活の基礎的な事項について総合的に把握し、今後の厚生労働行政施策のための基礎資料を得ることを目的として、統計法に基づき、毎年実施されている。

患者調査は、病院・診療所を利用する患者の傷病の状況などの実態を明らかにし、医療行政の基礎資料を得ることを目的として、統計法に基づき、3 年に 1 回実施されている。平成 29 年調査は、全国の病院・診療所から、層化無作為抽出した病院約 6 千 4 百、一般診療所約 5 千 9 百、歯科診療所約 1 千 3 百を対象とした。

図は、平成 28 年国民生活基礎調査（大規模調査）の結果から、昭和 60 年から平成 27 年までの相対的貧困率（等価可処分所得の中央値の半分［平成 27 年は 122 万円］に満たない世帯員の割合）および子どもの貧困率（17 歳以下）の年次推移を示したものである。27 年は 13.9 %で、およそ 7 人に 1 人の子どもが貧困の状態にある。

参照：本編 85 ～ 91 頁（第２編第４章　健康状態と受療状況）

2-16　健康状態

国民の３割に自覚症状、悩みやストレスがある者は５割近く

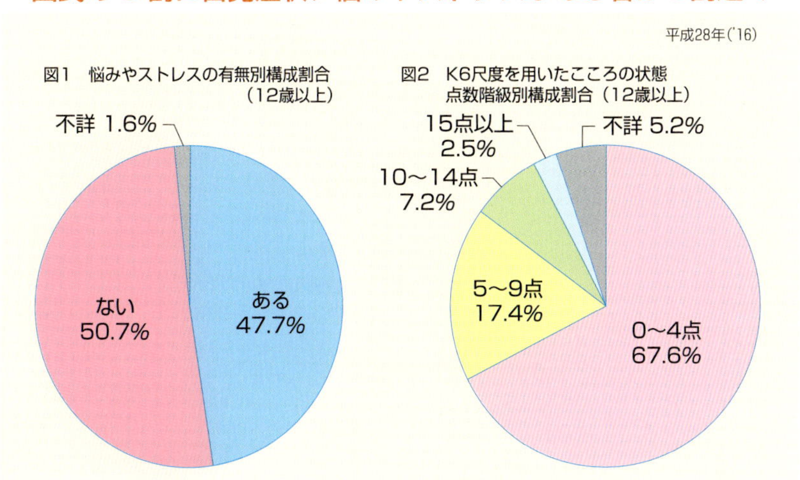

資料　厚生労働省「国民生活基礎調査」
注　1）入院者は含まない。
　　2）熊本県を除いたものである。

平成28年の**国民生活基礎調査**（大規模調査、熊本県を除く）によれば、医療施設・介護保険施設の入院・入所者（入院者）を除くと、病気やけがなどで自覚症状のある有訴者は人口千人当たり306で、腰痛、肩こりなどが多い。医療施設等の通院者は人口千人当たり390で、高血圧症が多い。

12歳以上の者（入院者を除く）について、日常生活での悩みやストレスの有無をみると「ある」47.7％、「ない」50.7％であった（**図1**）。悩みやストレスがある者の割合は、男42.8％、女52.2％で、どの年齢層でも女が高かった。

同じく12歳以上の者について、過去1カ月間のこころの状態を点数階級別（6つの質問について、5段階（0～4点）で点数化して合計）にみると、「0～4点」が67.6％と最も多かった（**図2**）。気分障害、不安障害に相当する心理的苦痛を感じている者（20歳以上で10点以上）の割合は、10.5％であった。

参照：本編85～87頁（第2編第4章　1.健康状態）

2-17　入院・外来受療率

高齢者は高いが低下傾向、入院・外来受療率に地域差がある

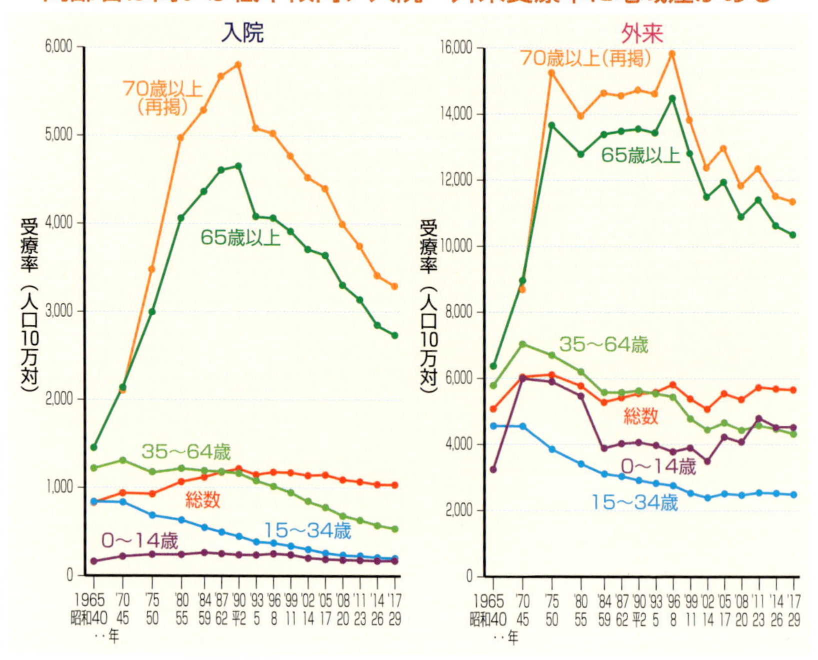

資料　厚生労働省「患者調査」
注　1）昭和 40 年の 70 歳以上 (再掲) の数値は集計されていない。
　　2）平成 23 年の数値は、宮城県の石巻医療圏、気仙沼医療圏および福島県を除いた数値である。

患者調査では、医療施設（病院と一般・歯科診療所）の受診患者の傷病などを調査する。平成 29 年、**推計患者数**は入院 131 万人、外来 719 万人で、人口 10 万対の**受療率**は入院 1,036、外来 5,675 である。これは、調査日に人口の約 1.0 %が入院しており、約 5.7 %が外来を受診したことを示している。

65 歳以上をみると、入院受療率は昭和 40 年以降急上昇し、平成 5 年以降低下傾向にある。外来受療率は昭和 50 年ころまで急上昇し、近年は低下傾向もみられる。これらの推移には 61 年からの（介護）老人保健施設の設置、医療保険制度の変更などの影響が指摘されている。受療率には地域差もあり、入院受療率は高知県、鹿児島県、長崎県などで高く、神奈川県、東京都、埼玉県などで低い。外来受療率は佐賀県、香川県、長崎県などで高く、沖縄県、京都府、長野県などで低い。

参照：本編 87 ～ 91 頁（第 2 編第 4 章　2.受療状況）

2-18　傷病別推計患者数

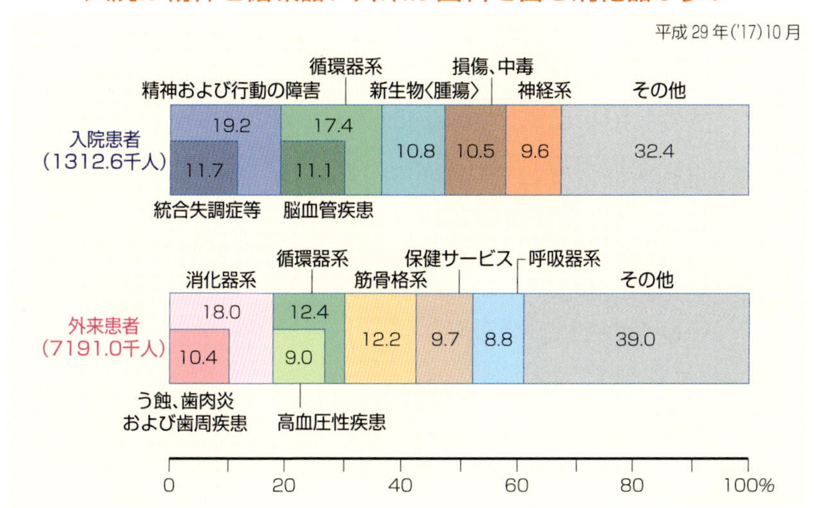

資料　厚生労働省「患者調査」

平成29年患者調査によれば、推計入院患者数（調査日に受診した患者を抽出率の重みを付けて推計）は「精神および行動の障害」が19.2％、「循環器系の疾患」が17.4％、「新生物〈腫瘍〉」が10.8％などである。「精神および行動の障害」では「統合失調症等」、「循環器系の疾患」では「脳血管疾患」が多い。推計外来患者数は「消化器系の疾患」が18.0％、「循環器系の疾患」が12.4％、「筋骨格系および結合組織の疾患」が12.2％などである。「消化器系の疾患」では「う蝕」と「歯肉炎および歯周疾患」、「循環器系の疾患」では「高血圧性疾患」が多い。

調査日に来院しなかった通院継続中の患者も含めて推計したものが**総患者数**で、「高血圧性疾患」が994万人、「う蝕」と「歯肉炎および歯周疾患」が589万人、「糖尿病」が329万人、「脂質異常症」が221万人、「悪性新生物〈腫瘍〉」が178万人、「心疾患（高血圧性のものを除く）」が173万人などである。

参照：本編87～91頁(第2編第4章　2.受療状況)、438頁(第30表)、449頁（第38表）

2-19　患者の受療状況

外来待ち時間は１時間未満が７割、医師からの説明が不十分とする者は少ない

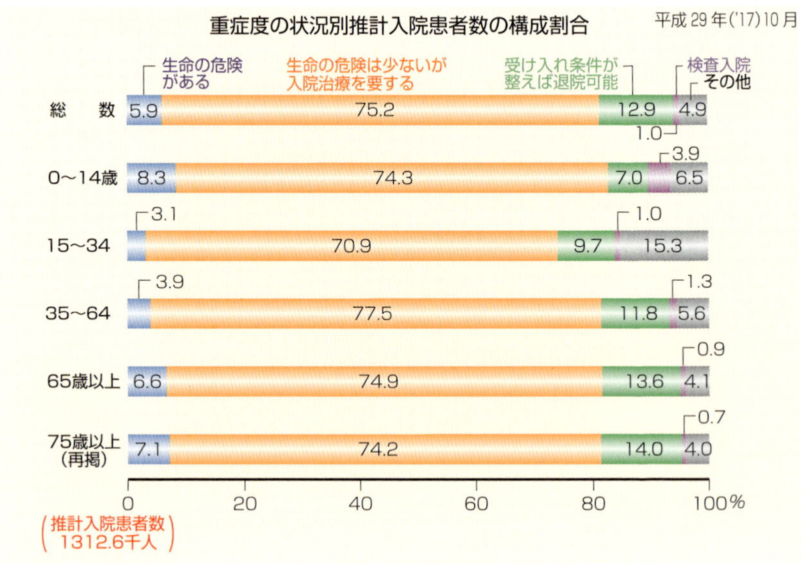

資料　厚生労働省「患者調査」

平成29年患者調査によれば、入院患者の重症度は、「生命の危険がある」が5.9％、「生命の危険は少ないが入院治療を要する」が75.2％、「受け入れ条件が整えば退院可能」が12.9％であった。**社会的入院**とされる「受け入れ条件が整えば退院可能」の者の割合は年齢とともに大きくなっている。

平成29年**受療行動調査**によると、外来患者では診療前の待ち時間は「15分未満」が27.1％と最も高く、次いで「15分以上30分未満」が22.9％で、全体として１時間未満の割合が７割となっている。「病院の全体的な満足度」は、外来は満足59.3％、不満4.3％、入院はそれぞれ67.8％、4.3％であった。

診断や治療方針について、医師から「説明を受けた」者は、入院で94.7％、外来で95.1％であった。そのうち、説明は「十分だった」者は、入院が93.3％、外来が94.3％、「十分ではなかった」者は入院が6.7％、外来が5.7％であった。

参照：本編87～91頁（第２編第４章　2.受療状況）

2-20　退院患者の平均在院日数

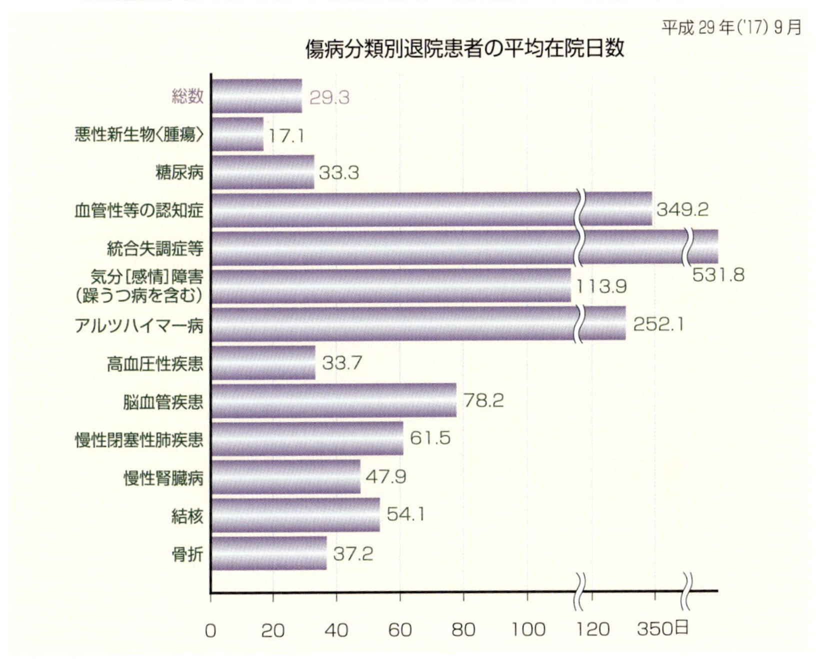

資料　厚生労働省「患者調査」

　患者調査では9月中の1カ月間の退院患者に関する調査も行う。退院患者の**平均在院日数**は、その在院期間の平均であり、在院日数ごとの推計退院患者数に基づいて、患者属性（傷病、性、年齢など）別に算出される。全患者では平成29年は29.3日である。65歳以上での短縮が著しく、昭和59年には87.2日だったものが33年後の平成29年には37.6日になっている。

　疾患別では「統合失調症等」が531.8日、「血管性等の認知症」が349.2日、「アルツハイマー病」が252.1日、「気分［感情］障害（躁うつ病を含む）」が113.9日、「脳血管疾患」が78.2日と長い。なお、退院後の行き先は「家庭」が83.8％、「他の病院・診療所」や各種施設が合わせて10.6％であった。

参照：本編448頁（第37表　退院患者の平均在院日数）

3-1　健康の社会的決定要因

健康は個人の生活習慣だけでなく社会的要因も強く影響

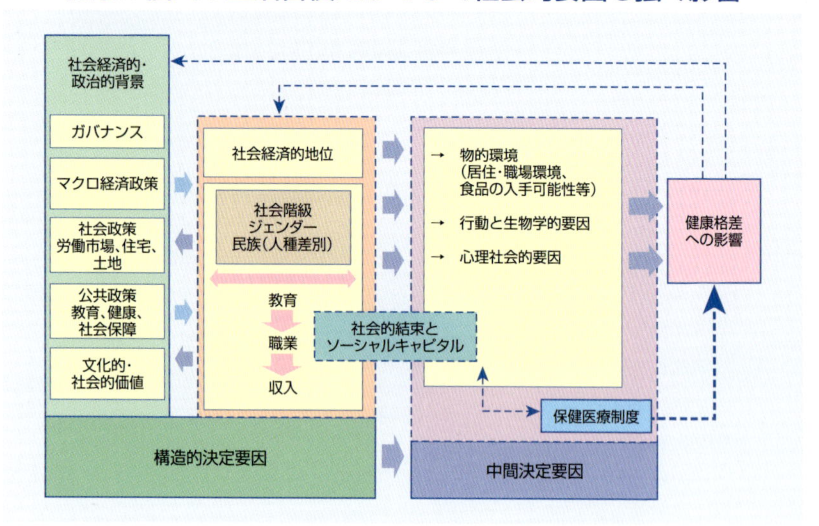

資料　WHO（2010），A conceptual framework for action on the social determinants of health
（次期国民健康づくり運動プラン策定専門委員会　仮訳）

生活習慣などの健康リスクや健康格差には、そのさらなる原因として**健康の社会的決定要因**が大きな影響を及ぼしていることが最近わかってきており、国際的にも注目されている。図は、世界保健機関（WHO）が発表した概念的枠組みである。政策などの社会経済的・政治的背景、教育や収入などの社会経済的地位、**ソーシャルキャピタル**（社会的つながりなど）、物的環境などが健康や健康格差に影響を及ぼしているのである。

健康日本21（第二次）では、健康格差の縮小や、ソーシャルキャピタルの向上を含む社会環境の質の向上が基本理念として掲げられている。具体的な目標としては、**健康を支え、守るための社会環境の整備**について、地域のつながりの強化、健康づくりを目的とした活動に主体的に関わっている国民の割合の増加、健康づくりに関する活動に取り組み、自発的に情報発信を行う企業数の増加などが掲げられている。

参照：厚生労働省健康日本21（第二次）の推進に関する参考資料

3-2　特定健康診査と特定保健指導

内臓脂肪症候群（メタボリックシンドローム）に着目した階層化と保健指導

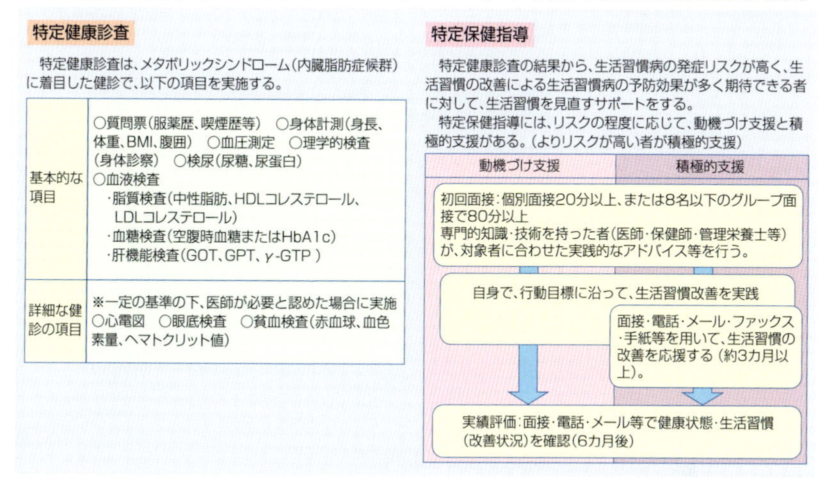

平成 20 年度からは、**老人保健法**が改正された「**高齢者の医療の確保に関する法律**」に則して、**医療保険者**が実施主体となって、40 ～ 74 歳の被保険者・被扶養者に対する**特定健康診査**と**特定保健指導**が実施されている。

「標準的な健診・保健指導プログラム【平成 30 年度版】」により、特定健診は、**糖尿病等の生活習慣病**、とりわけ**内臓脂肪症候群（メタボリックシンドローム）**の有病者・予備群を減少させるため、保健指導を必要とする者を的確に抽出する方針で健診項目が選択されている。

ステップ 1（腹囲または肥満度）、ステップ 2（血糖、脂質、血圧等）、ステップ 3（ステップ 1 および 2 の組み合わせ）の 3 段階の判定により階層化し、ステップ 4 では、生活習慣病の服薬治療中の者などを除き、前期高齢者（65 ～ 74 歳）には動機づけ支援までとするなど、保健指導の効果が期待される者に優先順位をつける。

現在リスクがない者に対しては、適切な生活習慣あるいは健康の維持・増進につながる「情報提供」、リスクが少ない対象者に対して生活習慣の改善に関する「動機づけ」を 1 回面接にて行う。リスクの重複がある対象者に対して、早期に介入し、確実に行動変容を促す「積極的支援」（3 ～ 6 カ月程度）を目指す。動機づけ支援と積極的支援を**特定保健指導**とよび、医師、保健師、管理栄養士等が実施する。

参照：本編 96 ～ 97 頁〔第 3 編第 1 章　1.3〕生活習慣病対策）

3-3　市町村の健康増進事業

健康増進法により、がん検診や健康増進計画策定などが実施

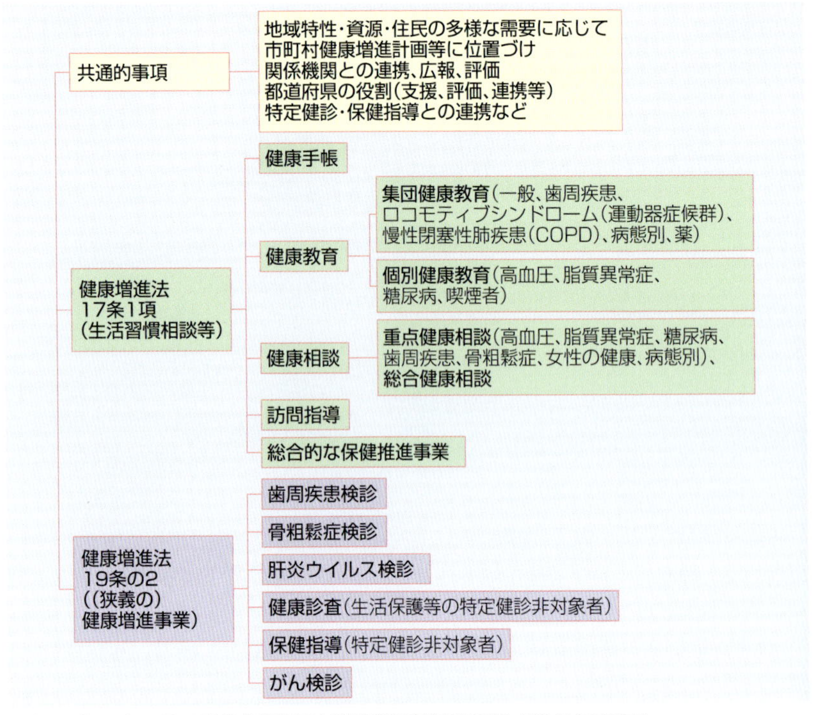

資料　平成 20 年 3 月　厚生労働省健康局「健康増進事業実施要領」（29 年 3 月改正）

がん検診、歯周疾患検診、骨粗鬆症検診、肝炎ウイルス検診、健康手帳、健康教育、健康相談、訪問指導などは**健康増進法**に基づく健康増進事業として市町村が実施している（特定健康診査、特定保健指導は高齢者医療確保法に基づき医療保険者が実施している）。生活習慣病対策を推進するためには、都道府県が総合調整機能を発揮し、市町村、事業者、医療保険者等の役割分担と連携が必要である。

健康増進法にはその他に、（都道府県、市町村）健康増進計画の策定、国民健康・栄養調査、生活習慣病の発生状況の把握、特定給食施設における栄養管理、受動喫煙の防止、特別用途表示などが定められている。

参照：本編 96 ～ 97 頁〔第 3 編第 1 章　1.3〕（2）市町村の健康増進事業）

3-4　地域診断と評価

地域診断には地域間比較、時間比較、人の属性比較が重要

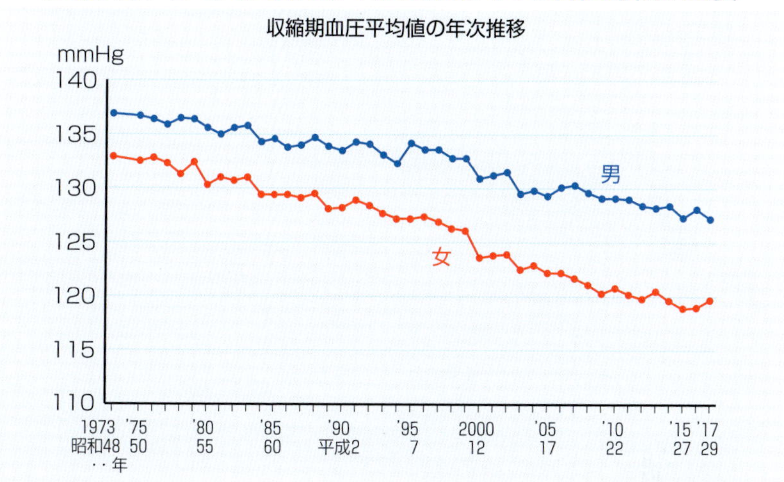

資料　国民健康・栄養調査（健康日本 21（第二次）分析評価事業）昭和 60 年モデル人口で年齢調整

地域診断では、地域間比較、時間比較、人の属性比較の 3 つが基本となる。**地域間比較**では、自分の自治体と保健所管内・県・国とを比較したり、自治体内の地域間を比較したりする。自分の自治体の地域特性を知るためには、他の地域と比較する必要がある。そのためには、特定健康診査において標準的な質問票を用いているように、全国で統一した方法で情報収集を行い、同じ指標を使用できるとよい。**時間比較**は、年次による比較が有用である。図は全国での収縮期血圧平均値の年次推移である。前年との比較では大きな差がみられないことが多いため、中長期の推移をみることができると有用である。そのためには、分析に使用できるデータを長期に保存しておくことが必要となる。**人の属性比較**は、性別や年齢別の比較をまず行う。

事業等の**評価**は、地域全体の大きな評価には、時間比較が有用である。また、事業参加群と、事業非参加群との比較も有用である。さらに、住民の生の声や観察などによる質的な評価も重要である。

参照：健康日本 21（第二次）分析評価事業

3-5　国民健康・栄養調査

国民の生活習慣と健康状態を明らかにする全国調査

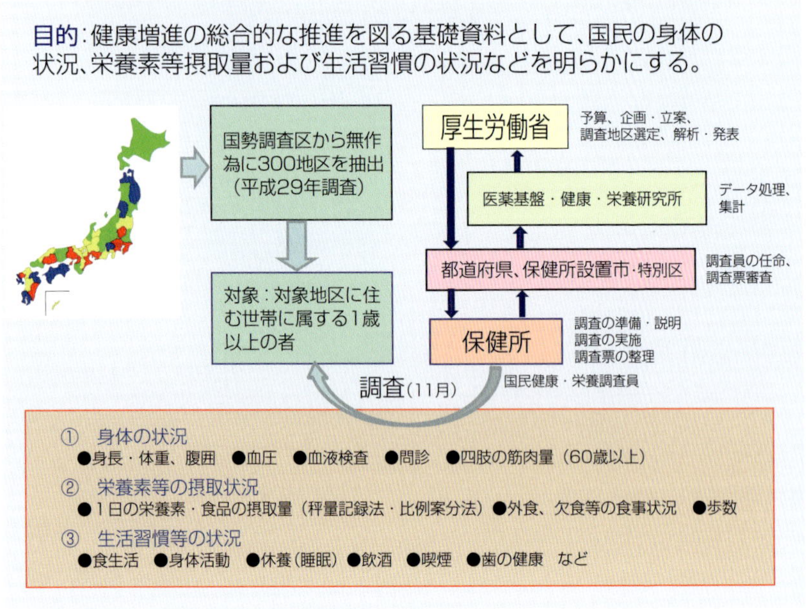

目的:健康増進の総合的な推進を図る基礎資料として、国民の身体の状況、栄養素等摂取量および生活習慣の状況などを明らかにする。

① 身体の状況
●身長・体重、腹囲　●血圧　●血液検査　●問診　●四肢の筋肉量（60歳以上）

② 栄養素等の摂取状況
●1日の栄養素・食品の摂取量（秤量記録法・比例案分法）●外食、欠食等の食事状況　●歩数

③ 生活習慣等の状況
●食生活　●身体活動　●休養（睡眠）●飲酒　●喫煙　●歯の健康　など

国民健康・栄養調査は、**健康増進法**に基づいて行われている厚生労働省の調査（一般統計調査）である。全国から層化無作為抽出された地区に住む世帯の1歳以上の者を対象として、毎年11月に保健所が調査を行う。国民の食生活や生活習慣の状況などを把握、評価することに加え、糖尿病等の生活習慣病の有病率の推定などに重要な役割を果たしている。また、都道府県別の集計により、地域格差が大きいことも示されている。

健康日本21などの健康増進計画や生活習慣病予防対策等を評価するためには、このような国民（地域住民）を代表する標本に基づく、定期的な調査（モニタリング）が不可欠である。また、多くの都道府県では、国の調査と併せて、3～5年周期で独自の健康・栄養調査を行い、都道府県健康増進計画に反映させている。

参照：本編 101 頁（第3編第1章　2.1〕（4）国民健康・栄養調査）

脂肪エネルギー比率と食塩は目標量を超えている

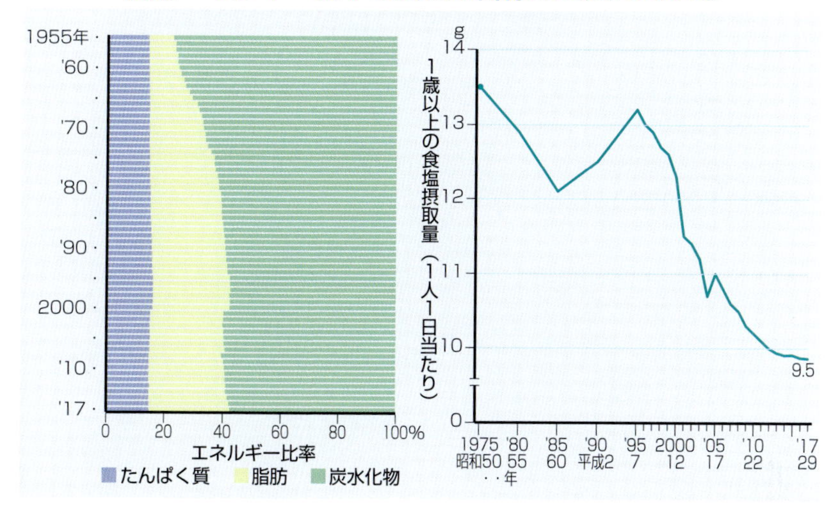

資料　厚生労働省「国民健康・栄養調査」

エネルギーの栄養素別摂取構成割合は**脂肪エネルギー比率**が 27.7 %と増加傾向にあるが、2015 年版からの食事摂取基準では 30 %が上限となった。平成 29 年 1 日当たりの食塩摂取量は 1 歳以上で 9.5g（男女全体）、成人で男性 10.8g、女性 9.1g であり、成人における目標量「1 日男性 8.0g 未満、女性 7.0g 未満」を達成できていない。

栄養改善対策として平成 17 年には**食育基本法**が施行され、食育推進基本計画（28 年から第 3 次）が策定された。基本的な方針として、①若い世代を中心とした食育の推進、②多様な暮らしに対応した食育の推進、③健康寿命の延伸につながる食育の推進、④食の循環や環境を意識した食育の推進、⑤食文化の継承に向けた食育の推進が定められた。

日本人の食事摂取基準(2015 年版)では、生活習慣病の重症化予防が加えられた。また、平成 12 年に策定された**食生活指針**（28 年改正）を行動につなげるために、17 年には「何を」「どれだけ」食べたらよいかを具体的にイラストで示した「**食事バランスガイド**」が策定された（22 年改正）。

参照：本編 100 ～ 102 頁（第 3 編第 1 章　2.1〕(3)栄養対策と食育の推進、2〕(1)栄養･食生活)、456 ～ 458 頁（第 46 表、第 47 表、第 48 表）

50歳代までの運動習慣は3割未満

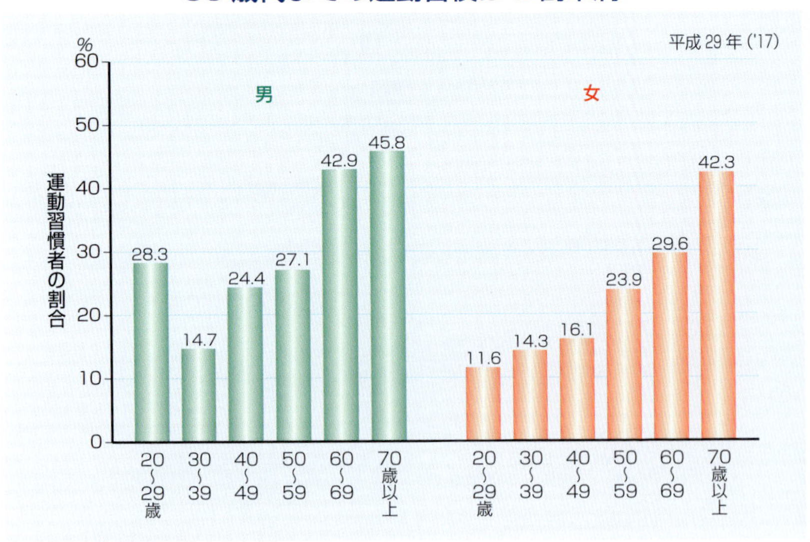

資料　厚生労働省「国民健康・栄養調査」
注　　運動習慣のある者とは、1回30分以上の運動を週2回以上実施し、1年以上継続している者である。

身体活動・運動は生活習慣病の予防の他、社会生活機能の維持・向上と生活の質の向上の観点から重要である。**健康日本21（第二次）**では、次世代や高齢者に関する目標を含め、運動習慣の定着や身体活動量の増加に関する目標とともに、身体活動や運動に取り組みやすい環境整備についての設定がされた。平成25年に健康づくりのための身体活動基準2013と健康づくりのための身体活動指針（アクティブガイド）が新たに策定された。安全で効果的な運動を実施するために、運動指導者として健康運動指導士（昭和63年度～、平成30年3月現在17,993人）、健康運動実践指導者（平成元年度～、同20,421人）が養成されている。また、健康増進施設認定制度や健康増進施設の利用料金の医療費控除が行われている。29年、運動習慣ありは、男35.9％、女28.6％であり、前年より増加している。

参照：本編102～103頁（第3編第1章　2.2〕(2)身体活動･運動）

睡眠で休養が十分にとれていない者は 20.2 %

健康づくりのための睡眠指針2014

（平成26年('14) 3 月）

第 1 条．良い睡眠で、からだもこころも健康に
第 2 条．適度な運動、しっかり朝食、ねむりとめざめのメリハリを
第 3 条．良い睡眠は、生活習慣病予防につながります
第 4 条．睡眠による休養感は、こころの健康に重要です
第 5 条．年齢や季節に応じて、ひるまの眠気で困らない程度の睡眠を
第 6 条．良い睡眠のためには、環境づくりも重要です
第 7 条．若年世代は夜更かし避けて、体内時計のリズムを保つ
第 8 条．勤労世代の疲労回復・能率アップに、毎日十分な睡眠を
第 9 条．熟年世代は朝晩メリハリ、ひるまに適度な運動で良い睡眠
第10条．眠くなってから寝床に入り、起きる時刻は遅らせない
第11条．いつもと違う睡眠には、要注意
第12条．眠れない、その苦しみをかかえずに、専門家に相談を

この指針では、睡眠について正しい知識を身につけ、定期的に自らの睡眠を見直して、適切な量の睡眠の確保、睡眠の質の改善、睡眠障害への早期からの対応によって、事故の防止とともに、からだとこころの健康づくりを目指しています。

こころの健康は、生活の質に大きく影響することから、身体の健康と同様に大切である。こころの健康づくりでは、休養、ストレス管理、十分な睡眠、こころの病気への対応などが重要である。休養は、「休む」ことと「養う」ことの 2 つの要素に分けてとらえられ、「休む」ことは心身の疲労からの回復を目指したものとして、「養う」ことは心の糧となる活動を通して生きがいの創造を行うものとして理解されている。この考え方をもとに平成 6 年に「健康づくりのための休養指針」が策定された。

睡眠は休養の主要な部分を占めるものであり、精神疾患、身体疾患、事故の発生と密接に関係する。**健康日本 21（第二次）**では、十分な睡眠による休養の確保が目標に挙げられており、平成 26 年 3 月には「健康づくりのための睡眠指針 2014」が策定されている。29 年国民健康・栄養調査では、睡眠で休養が十分にとれていない者の割合は全体で 20.2 %であり、40 ～ 49 歳の働き盛り世代では 30.9 %となっている。

参照：本編 103 頁（第 3 編第 1 章　2.2）（3）休養）

40代、50代の男性の5人に1人が過剰飲酒

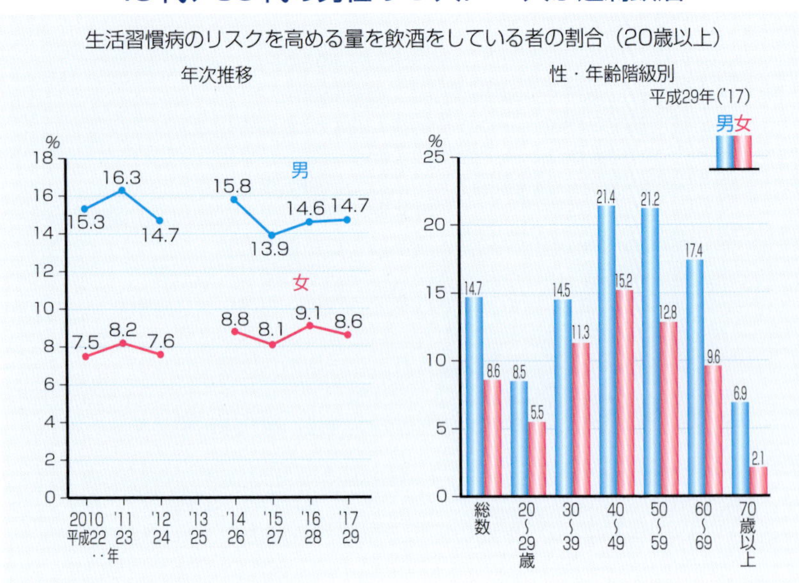

資料　厚生労働省「国民健康・栄養調査」
注　　平成25年は未実施。

わが国のアルコール消費量は、経済成長、国民所得の増加、生活様式の変化等により昭和20年代から急激な増加を示した。近年は全体として減少傾向にあり、飲酒習慣のある者の割合は、平成29年の国民健康・栄養調査によると、男33.1％、女8.3％である。未成年や妊婦の飲酒率も減少している。

一方で、アルコール依存症等の患者が増加する傾向にあることから、平成25年に**アルコール健康障害対策基本法**が制定され，この法律に基づき28年にアルコール健康障害対策推進基本計画が策定された。この計画の重点課題として「飲酒に伴うリスクに関する知識の普及を徹底し、将来にわたるアルコール健康障害の発生を予防」および「アルコール健康障害に関する予防及び相談から治療、回復支援に至る切れ目のない支援体制の整備」を掲げ、そのための基本的施策として、教育振興等、不適切な飲酒の誘因の防止、アルコール健康障害に係る医療の充実等を推進することとしている。

参照：本編103～104頁（第3編第1章　2.2〕（4）飲酒）

歯科口腔保健法により国民の歯科保健向上から健康長寿にむけて

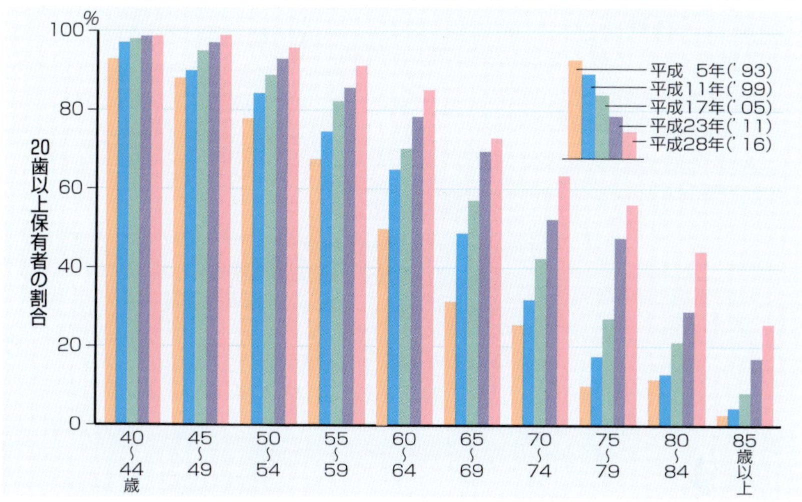

資料　厚生労働省「歯科疾患実態調査」

生涯、自分の歯で食事をし、食べる楽しみを続けるために、80歳で20本以上の歯を保つことを目標として、**8020（ハチマル・ニイマル）運動**が展開されている。歯を失う原因はう蝕と歯周病であり、平成14年に策定された**フッ化物洗口ガイドライン**では、科学的根拠に基づいてう蝕の予防法を公衆衛生的に展開する方法が示された。なお市町村では、乳幼児・妊産婦の口腔診査・保健指導に加え、健康増進法に基づいて歯周疾患検診、寝たきり者訪問口腔衛生指導などが実施されている。

健康日本21（第二次）の中間評価では、80歳で20本以上自分の歯を有する者の割合は目標値50％に到達した。また、高齢者がおいしく、楽しく、安全な食生活を営むことができるように、平成18年度から介護予防特定高齢者対策等により「**口腔機能向上**」が進められている。口腔ケアは、口腔内の細菌を減少させることで**誤嚥性肺炎の予防**をするとともに、口腔粘膜刺激による嚥下反射の正常化も期待されている。歯科疾患と全身の疾患の関連があることが示されてきており、**歯科口腔保健の推進に関する法律**が制定され、歯科保健目標である基本的事項も24年7月に定められ、中間評価も行われた。

参照：本編 131 ～ 136 頁（第３編第２章　5.歯科保健）

1.57 ショックから 30 年間の少子化対策

子ども・子育て関連 3 法の趣旨

保護者が子育てについての第一義的責任を有するという基本的認識の下に、幼児期の学校教育・保育、地域の子ども・子育て支援を総合的に推進

主なポイント

1．認定こども園、幼稚園、保育所を通じた共通の給付（「施設型給付」）および小規模保育等への給付（「地域型保育給付」）の創設
2．認定こども園制度の改善（幼保連携型認定こども園の改善等）
・認可・指導監督の一本化、学校及び児童福祉施設としての法的位置づけ
・既存の幼稚園および保育所からの移行は義務づけず、政策的に促進
・幼保連携型認定こども園の設置主体は、国、自治体、学校法人、社会福祉法人のみ
・認定こども園の財政措置を「施設型給付」に一本化
3．地域の実情に応じた子ども・子育て支援（利用者支援、地域子育て支援拠点、放課後児童クラブなどの「地域子ども・子育て支援事業」）の充実

合計特殊出生率が昭和 41 年のひのえうまの 1.58 を下回った平成元年の **1.57 ショック**を機に少子化が懸念され始め、様々な少子化対策が打ち出されてきた。6 年の「今後の子育て支援のための施策の基本的方向について」（エンゼルプラン）の策定を手始めに、様々な対策がなされ、24 年に子育て支援法を含む「子ども・子育て関連 3 法」が成立し、これに基づく**子ども・子育て支援新制度**が開始した。こども園の創設や消費税による社会全体での費用負担、子ども・子育て会議の設置などが盛り込まれている。

平成 17 年から施行された**次世代育成支援対策推進法**が 10 年間延長され、国の新たな「行動計画策定指針」に基づいて、自治体は「地域行動計画」を、事業主は「一般事業主行動計画」を策定することとなった。目標を達成し、一定の基準を満たした企業は「子育てサポート企業」として、厚生労働大臣の認定（くるみん認定、プラチナくるみん認定）を受けることができる。

参照：本編 23 頁（第 1 編第 1 章　1.4〕（3）次世代育成支援（少子化対策））

3-12　健やか親子 21（第 2 次）の概要

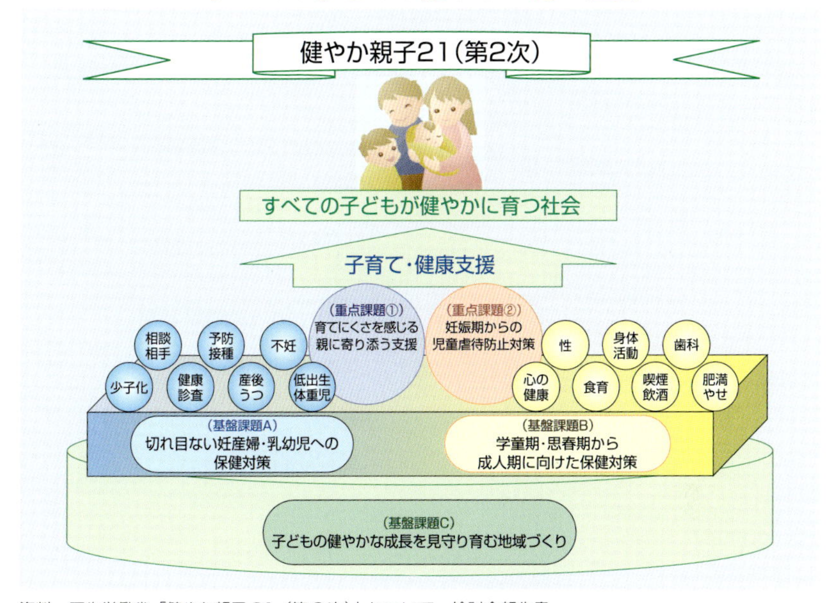

資料　厚生労働省「健やか親子 21（第 2 次）」について　検討会報告書

平成 12 年に、21 世紀の母子保健の取り組みの方向性を示した「健やか親子 21」の最終評価報告書で示された今後の課題や提言をもとに、27 年度から「**健やか親子 21（第 2 次）**」が始まった。ヘルスプロモーションを基本理念に、10 年後に目指す姿を「すべての子どもが健やかに育つ社会」とした。これは、日本のどこで生まれても一定の質の母子保健サービスが受けられ、命が守られる地域間での健康格差の解消と、疾病や障害、経済状態などの個人や家庭環境の違い、多様性を認識した母子保健サービスの展開の 2 点の視点を含んでいる。その実現のために 3 つの基盤課題と 2 つの重点課題において、健康水準の指標、健康行動の指標、環境整備の指標に目標を設けた 52 の指標と 28 の参考指標が設定された。

国民運動計画としての取り組みの充実に向けて、国民の主体的取り組みの推進や、関係者、関係機関・団体や企業等との連携・協働、健康格差解消に向けた地方公共団体に求められる役割について取りまとめられた。

参照：本編 108 ～ 112 頁（第 3 編第 2 章　1.1〕母子保健行政のあゆみ）

3-13 母子保健対策―保健指導と健康診査

結婚前から一貫したサービス体系を誇る母子保健対策

平成28年('16) 4

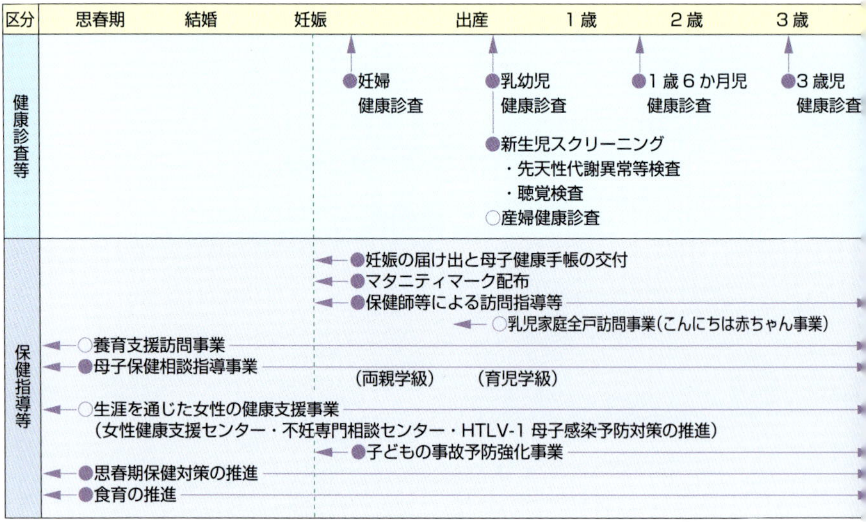

区分	思春期	結婚	妊娠	出産	1歳	2歳	3歳
健康診査等			●妊婦健康診査	●乳幼児健康診査 ●新生児スクリーニング ・先天性代謝異常等検査 ・聴覚検査 ○産婦健康診査	●1歳6か月児健康診査		●3歳児健康診査

保健指導等:
- ●妊娠の届け出と母子健康手帳の交付(妊娠から)
- ●マタニティマーク配布(妊娠から)
- ●保健師等による訪問指導等(妊娠から)
- ○乳児家庭全戸訪問事業(こんにちは赤ちゃん事業)(出産から)
- ○養育支援訪問事業(思春期から)
- ●母子保健相談指導事業(思春期から) (両親学級) (育児学級)
- ○生涯を通じた女性の健康支援事業(思春期から)(女性健康支援センター・不妊専門相談センター・HTLV-1母子感染予防対策の推進)
- ●子どもの事故予防強化事業(妊娠から)
- ●思春期保健対策の推進(思春期から)
- ●食育の推進(思春期から)

注 ○国庫補助事業 ●一般財源による事業

母子保健対策は**母子保健法**に基づき、保健指導、健康診査、医療援護、母子保健の基盤整備が実施され、結婚前から妊娠、出産、育児期、新生児、乳幼児期を通じて一貫した体系で、サービスの総合的な提供を目指している。

保健指導には、母子健康手帳の交付、妊産婦と乳幼児の保健指導などがある。平成19年から生後4カ月までの全戸訪問事業(こんにちは赤ちゃん事業)を開始した。健康診査には妊婦、乳幼児(1歳6か月児と3歳児)に対する健康診査などがある。20年度に14回程度の妊婦健康診査が公費負担されるよう予算措置され、25年度からは地方財源を確保し、恒常的な仕組みへ移行された。また、29年度から2回分の費用を助成する産婦健康診査事業を開始した。

平成27年度からは妊娠期から子育て期までの様々なニーズに対して総合的な支援を提供する拠点(**子育て世代包括支援センター**)の整備が始まった。

参照:本編112~118頁(第3編第2章 1.2〕母子保健施策)

3-14　母子医療対策と母子保健基盤整備

新しい知見を基に様々な施策が導入される母子保健医療対策

平成 28 年（'16）4 月

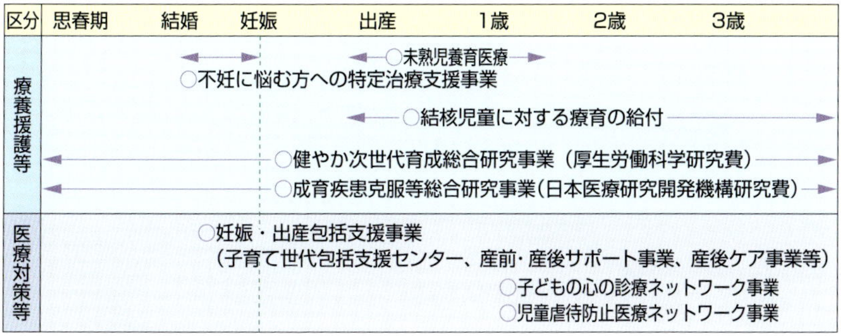

区分	思春期	結婚	妊娠	出産	1歳	2歳	3歳
療養援護等	○未熟児養育医療 ○不妊に悩む方への特定治療支援事業 ○結核児童に対する療育の給付 ○健やか次世代育成総合研究事業（厚生労働科学研究費） ○成育疾患克服等総合研究事業（日本医療研究開発機構研究費）						
医療対策等	○妊娠・出産包括支援事業 （子育て世代包括支援センター、産前・産後サポート事業、産後ケア事業等） ○子どもの心の診療ネットワーク事業 ○児童虐待防止医療ネットワーク事業						

注　○国庫補助事業

母子保健を支える制度に、医療援護がある。妊娠高血圧症候群等への訪問指導、入院治療が必要とされた妊産婦（低所得階層）に対する入院医療費の給付（医療援助：母子保健法 17 条）、出生時体重 2,000g 以下の未熟児などに対する入院医療費の給付（**養育医療**：同 20 条）、小児難病に対する小児慢性特定疾患治療研究事業（平成 17 年に児童福祉法に位置づけ、27 年に**小児慢性特定疾患医療費助成制度**となり、小児慢性特定疾病の対象が拡大した（令和元年 7 月現在 762 疾病））、障害のある児童に対する**自立支援医療**、および結核児童療育給付制度がある。

その他の医療施策には、①妊産婦と乳幼児の栄養、「食育」の推進、②**新生児マススクリーニング**（先天性代謝異常等検査、聴覚検査）、③乳幼児突然死症候群（SIDS）対策、④子どもの心の診療、⑤マタニティマーク、⑥家族計画、⑦不妊治療に対する経済的支援、⑧生殖補助医療、⑨妊娠高血圧症候群がある。不妊治療の経済的支援は平成 25 年に見直しが行われ、43 歳未満の年齢制限がついた。25 年度から子どもの心の診療ネットワーク事業が開始した。他に乳幼児の事故防止対策、神経管閉鎖障害発症リスク軽減のための葉酸の適正量摂取指導なども重要な課題である。

参照：本編 112 ～ 118 頁（第 3 編第 2 章　1.2〕母子保健施策）

3-15　障害児・者の対策

障害者基本法および障害者総合支援法に基づく支援を実施

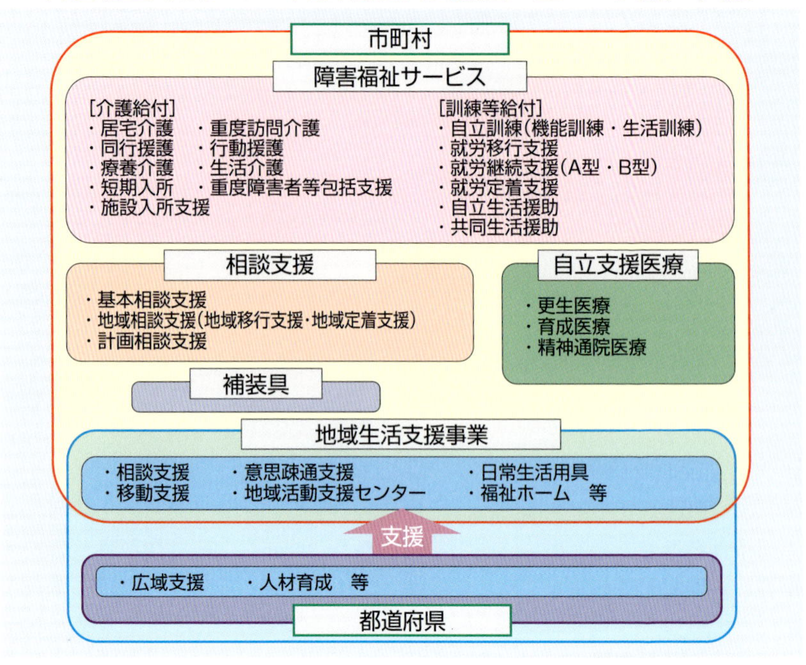

資料　厚生労働省

障害者施策は、平成５年の**障害者基本法**のもと、障害者基本計画と重点施策実施５か年計画に基づき進められている。25年に**障害者総合支援法**（障害者の日常生活及び社会生活を総合的に支援するための法律）が施行された。障害者の定義として、身体障害者、知的障害者、精神障害者（発達障害者を含む）、**難病**となっている（18歳未満については、児童福祉法により障害児として同様の定義が規定される）。

この法律により、障害福祉サービス（介護給付、訓練等給付）、自立支援医療、相談支援、補装具、地域生活支援事業が市町村により行われる。また、厚生労働大臣が定める基本指針、市町村（都道府県）障害福祉計画、地方公共団体が関係団体等を構成員として設置する自立支援協議会などについて定められている。

参照：本編 120 ～ 131 頁（第３編第２章　3.障害児・者施策、4.精神保健）

3-16　障害児・者の状況

障害児・者数は、生活のしづらさ調査と手帳交付数で把握可能

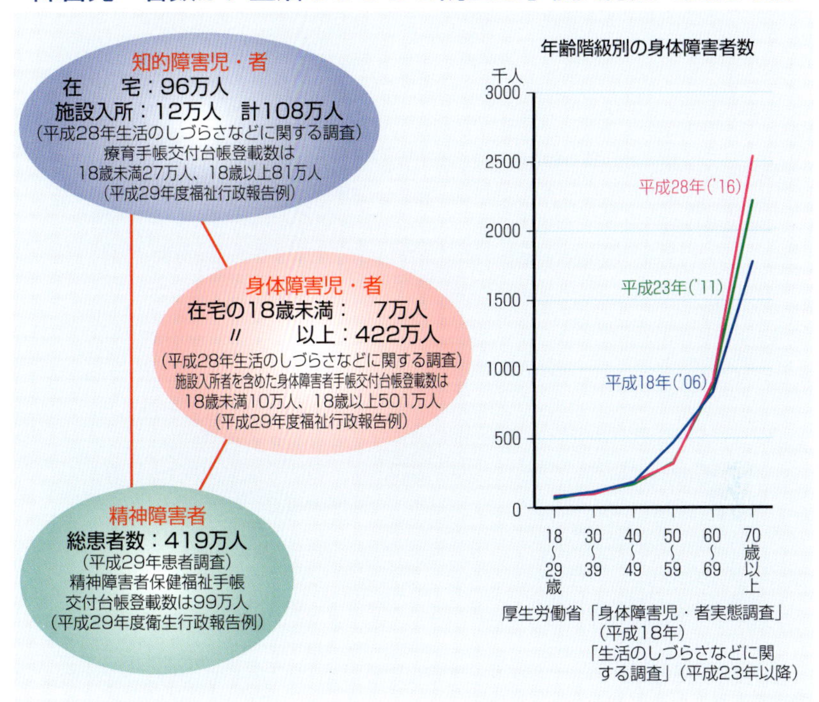

平成 28 年の生活のしづらさなどに関する調査によれば、在宅の**身体障害者**は 422 万人で増加している。その内訳では、65 歳以上が 74 %を占める。種類別には、肢体不自由が最も多く 190 万人、次いで**内部障害**（心臓、腎臓など）123 万人、聴覚・言語障害 34 万人、視覚障害 31 万人、不詳 46 万人となっている。同調査によると、在宅の身体障害児（18 歳未満）は 7 万人である。

また、在宅の知的障害児は 21 万人、知的障害者は 73 万人、年齢不詳を含め合計 96 万人、施設入所児・者を加えると総数は 108 万人と推計される。

参照：本編 120 〜 125 頁（第 3 編第 2 章　3.障害児・者施策）

3-17　精神保健福祉対策

ギャンブル等依存症対策基本法が施行

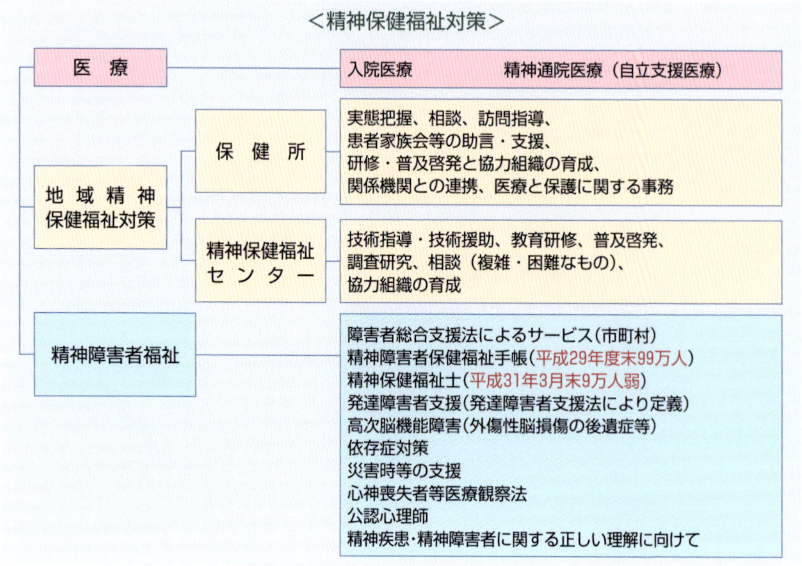

＜精神保健福祉対策＞

医　療		入院医療　精神通院医療（自立支援医療）
地域精神保健福祉対策	保　健　所	実態把握、相談、訪問指導、患者家族会等の助言・支援、研修・普及啓発と協力組織の育成、関係機関との連携、医療と保護に関する事務
	精神保健福祉センター	技術指導・技術援助、教育研修、普及啓発、調査研究、相談（複雑・困難なもの）、協力組織の育成
精神障害者福祉		障害者総合支援法によるサービス（市町村） 精神障害者保健福祉手帳（平成29年度末99万人） 精神保健福祉士（平成31年3月末9万人弱） 発達障害者支援（発達障害者支援法により定義） 高次脳機能障害（外傷性脳損傷の後遺症等） 依存症対策 災害時等の支援 心神喪失者等医療観察法 公認心理師 精神疾患･精神障害者に関する正しい理解に向けて

精神保健福祉法（精神保健及び精神障害者福祉に関する法律）と**障害者総合支援法**による各種の施策が展開されている。発達障害も精神障害に含まれており、**発達障害者支援法**により、広汎性発達障害（自閉症等）、学習障害、注意欠陥多動性障害（ADHD）と定義されている。また、心神喪失者等医療観察法により、心神喪失または心神耗弱で重大な他害行為を行った者に対し、適切な医療実施の確保と観察・指導が行われている。

精神障害者保健福祉手帳は、支援手続きの簡素化、公共交通機関の運賃割引等の優遇措置が受けられる。**精神保健福祉士**は、精神障害者の相談·助言·指導などにあたる国家資格である。また、**公認心理師試験**が平成 30 年度から開始されている。

依存症対策としては、**アルコール健康障害対策基本法**が平成 26 年に、**ギャンブル等依存症対策基本法**が 30 年にそれぞれ施行され、対策が推進されている。

被災地で精神医療や精神保健活動の支援を行うための**災害派遣精神医療チーム**（DPAT）が創設されている。

参照：本編 125 ～ 131 頁（第３編第２章　4.精神保健）

3-18　精神障害者の医療

医療保護入院、措置入院には精神保健指定医の診察が必要

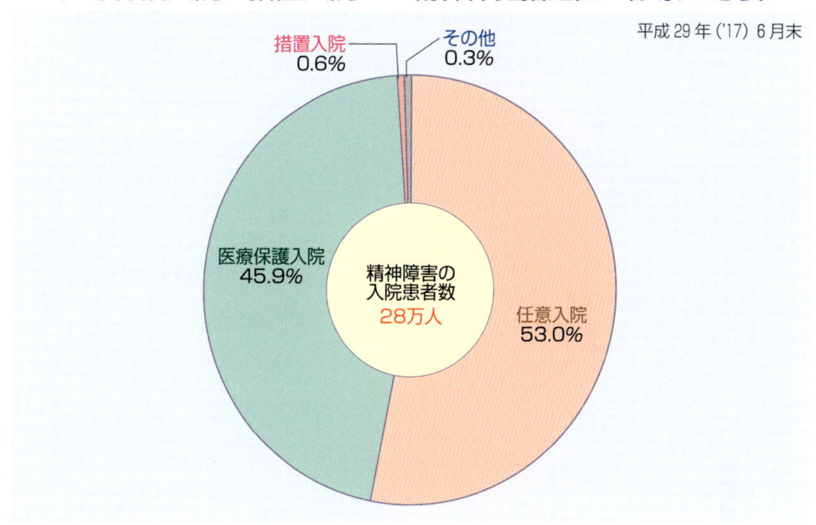

資料　厚生労働省社会・援護局精神・障害保健課調べ

精神保健福祉法は、精神障害者自身の同意に基づく「**任意入院**」と、同意に基づかない入院形態を規定している。すなわち、「**措置入院**」（2 人以上の精神保健指定医の診察、自傷他害の恐れがある場合、知事が入院措置）、「**医療保護入院**」（指定医の診察、家族などの同意の下で精神科病院管理者が決定）などである。「措置入院」と「医療保護入院」の要否・退院・処遇改善請求について精神医療審査会が審査を行っている。

精神病床の入院患者は、昭和 55 年から約 30 万人である。その中の「措置入院」の数は 45 年の 8 万人弱をピークに急激に低下して、平成 29 年 6 月末現在、約 1,600 人（0.6 %）となった。現在、本人の同意に基づく「任意入院」の割合が 53.0 %を占め、最も多い。

精神障害者の通院医療は、自立支援医療の中の**精神通院医療**と規定され、平成 28 年度に月当たり平均レセプト件数は 149 万件となっている。

参照：本編 125 ～ 131 頁（第 3 編第 2 章　4.精神保健）

3-19　ウイルス性肝炎対策

肝炎対策の推進

【施策の方向性】
○　肝がんへの進行予防、肝炎治療の効果的促進のため、経済的負担軽減を図る。
○　検査・治療・普及・研究をより一層総合的に推進する。
○　検査未受診者の解消、肝炎医療の均てん化、正しい知識の普及啓発等を着実に実施していく。

1．インターフェロン療法の促進のための環境整備
　○　インターフェロン治療に関する医療費の助成の実施
2．肝炎ウイルス検査の促進
　○　保健所における肝炎ウイルス検査の受診勧奨と検査体制の整備
　○　市町村等における肝炎ウイルス検査等の実施
3．健康管理の推進と安全・安心の肝炎治療の推進、肝硬変・肝がん患者への対応
　○　診療体制の整備の拡充
　　・都道府県において、中核医療施設として「肝疾患診療連携拠点病院」を整備
　○　肝硬変・肝がん患者に対する心身両面のケア、医師に対する研修の実施
4．国民に対する正しい知識の普及と理解
　○　職場や地域などあらゆる方面への正しい知識の普及
5．研究の推進
　○　肝炎研究7カ年戦略の推進
　○　肝疾患の治療等に関する開発・薬事承認・保険適用等の推進

肝炎ウイルスはＡ型・Ｂ型・Ｃ型・Ｄ型・Ｅ型の５種類が確認されている。Ａ型、Ｅ型肝炎ウイルスは、食物や水による経口感染である。Ｂ型、Ｃ型、Ｄ型肝炎ウイルスは血液、体液を介して感染する。将来、慢性肝炎、肝硬変、肝がんに進行する可能性があるのは、Ｂ型とＣ型である。Ｂ型とＣ型肝炎ウイルスに感染する危険性が高いのは、注射器の回し打ち、入れ墨、消毒が不十分なピアスの穴あけなどである。

わが国のＢ型肝炎ウイルス（HBV）の**持続感染者（キャリア）**は 110 ～ 140 万人と推計されている。特に、**垂直感染**（母子感染）、成人の**水平感染**（血液安全対策、性行為など）への対策が実施されている。平成 28 年 10 月より 0 歳児を対象としたHBVワクチンの定期接種が開始された。Ｃ型肝炎ウイルス（HCV）キャリアは 190 ～ 230 万人で、年代が高くなるとキャリア率も高く、地域差も認められる。HCVは血液感染以外の感染の可能性は極めて低いとされる。輸血後Ｃ型肝炎は、元～４年に確立されたスクリーニング検査により新発生がほぼない。肝がんの約８割が肝炎ウイルスの持続的な感染に起因している。

平成 22 年１月から施行された**肝炎対策基本法**で肝炎対策の総合的な推進が規定された。23 年に**肝炎対策の推進に関する基本的な指針**が策定されたが、28 年に改正されて、肝硬変または肝がんへの移行者を減らし、肝がんの罹患率をできるだけ減少させることを指標とした。

参照：本編 142 ～ 146 頁〔第３編第３章　1.2〕（4）ウイルス性肝炎）

3-20　感染症の分類

平成 26 年の感染症法の法改正を踏まえた新しい分類

感染症法に基づく分類	感染症名等	感染力・重篤性
感染症類型	[1類感染症] エボラ出血熱、クリミア・コンゴ出血熱、痘そう、南米出血熱、ペスト、マールブルグ病、ラッサ熱	極めて高い危険性
	[2類感染症] 急性灰白髄炎、結核、ジフテリア、重症急性呼吸器症候群(SARS)、鳥インフルエンザ(H5N1)、鳥インフルエンザ(H7N9)、中東呼吸器症候群(MERS)	高い危険性
	[3類感染症] コレラ、細菌性赤痢、腸管出血性大腸菌感染症、腸チフス、パラチフス	高くない危険性 特定の職業への就業で集団発生の可能性
	[4類感染症] E型肝炎、A型肝炎、黄熱、Q熱、狂犬病、炭疽、鳥インフルエンザ（鳥インフルエンザ（H5N1、H7N9）を除く）、ボツリヌス症、マラリア、野兎病、その他の感染症（政令で規定）	高くない危険性 発生・拡大を防止すべき
	[5類感染症] インフルエンザ（鳥インフルエンザおよび新型インフルエンザ等感染症を除く）、ウイルス性肝炎（E型、A型肝炎を除く）、クリプトスポリジウム症、後天性免疫不全症候群、性器クラミジア感染症、梅毒、麻しん、メチシリン耐性黄色ブドウ球菌感染症、その他の感染症（省令で規定）	高くない危険性 発生・拡大を防止すべき
新型インフルエンザ等感染症	新型インフルエンザ 再興型インフルエンザ	全国的かつ急速なまん延により国民の生命・健康に重大な影響を与えるおそれ
指定感染症	政令で1年間に限定して指定される感染症	1～3類に準ずる
新感染症	[当初]　都道府県知事が厚生労働大臣の技術的指導・助言を得て個別に応急対応する感染症	未知の感染症 極めて高い危険性
	[要件指定後]　政令で症状等の要件指定をした後に1類感染症と同様の扱いをする感染症	

平成 11 年、伝染病予防法、性病予防法、エイズ予防法を廃止・統合して、新しい時代の感染症対策を担う**感染症の予防及び感染症の患者に対する医療に関する法律（感染症法）**が施行された。18 年 12 月には、生物テロや事故による感染症の発生・まん延を防止するための病原体等の管理体制の確立や結核を感染症法に位置づけるなどの法改正が行われた。26 年の改正では、鳥インフルエンザ（H7N9）と中東呼吸器症候群（MERS）を 2 類感染症に位置づけ、感染症に関する情報の収集体制が強化された。28 年 2 月にジカウイルス感染症が 4 類感染症に追加された。

感染症は感染力、重篤性に基づいて 1 から 5 類感染症、新型インフルエンザ等感染症、指定感染症、新感染症に分類される。1 ～ 4 類、新型インフルエンザ等感染症、侵襲性髄膜炎菌感染症および麻しんを診断した医師は、直ちに最寄りの保健所長を経由して都道府県知事に届け出を行わなければならない。5 類感染症のうち全数把握対象疾患については 7 日以内に届け出を行わなければならない。

参照：本編 137 ～ 150 頁（第 3 編第 3 章　1.感染症）

3-21　HIV・エイズ対策

HIV・エイズの年間報告数では日本人男性の同性間性的感染経路が約 7 割

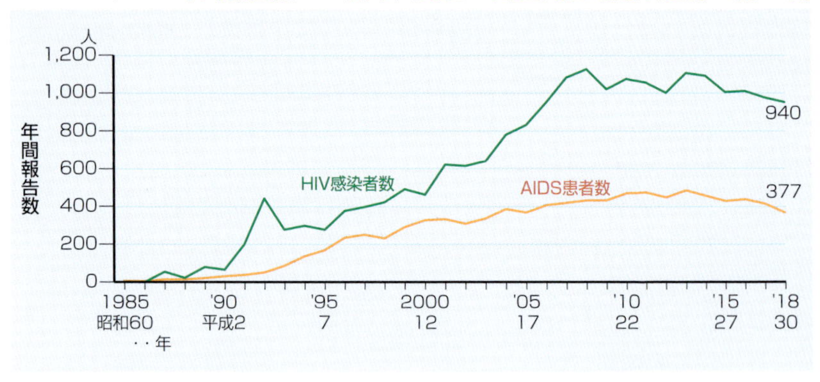

資料　厚生労働省エイズ動向委員会
注　　報告数は凝固因子製剤による HIV 感染を含まない。

エイズ（**AIDS：後天性免疫不全症候群**）は **HIV**（**ヒト免疫不全ウイルス**）による感染症であり、細胞性免疫不全状態が主な病態である。感染は血液、精液、膣分泌液などを介し、主な感染経路は HIV 感染者との性行為、血液と血液製剤の輸注、母子感染の 3 つである。そのほとんどが性的接触によることから、性感染症予防が対策の中心となる。

平成 30 年 12 月 31 日現在の累計届け出数は、HIV 感染者が 20,836 人、エイズ患者が 9,313 人である。新規感染者は 940 人で過去 13 位、新規エイズ患者の報告件数は 377 人で過去 14 位であった。同性間性的感染経路とするものが約 71 %と引き続き多数を占めている。

なお、**UNAIDS**（**国連合同エイズ計画**）で推定している世界の HIV 感染者・エイズ患者は 2017 年末で約 3690 万人である。

エイズ対策はエイズ問題総合対策大綱（昭和 62 年）を基礎として、平成元年に成立した**後天性免疫不全症候群の予防に関する法律**（**エイズ予防法**）に沿って推進されてきた。15 年 11 月からは感染症法で **5 類感染症**とされ、特定感染症予防指針に沿った対策が展開されている。

平成 30 年 1 月に改正された**後天性免疫不全症候群に関する特定感染症予防指針**（**エイズ予防指針**）では、効果的な普及啓発や検査・相談体制の充実・拡大、地域における総合的な医療の提供等、感染者等の人権や社会的背景に配慮しつつ、国、地方公共団体、医療機関、NGO 等が連携して総合的なエイズ対策を実施していく方針を示した。

参照：本編 150 ～ 153 頁（第 3 編第 3 章　2.HIV・エイズ（AIDS））

3-22　結核

平成18年に結核予防法を廃止し、感染症法に統合

(1) 健康診断・予防接種
- 定期　事業所・学校・施設（それぞれの長が実施）
　　　　一般住民（市町村長が実施）
- 定期外　患者家族等結核感染のリスクが高い者等（都道府県知事が実施）

(2) 患者管理 ― 結核登録票、家庭訪問指導、管理健診等

(3) 結核医療
- 一般患者に対する医療費公費負担（5％自己負担）
- 感染源対策 ― 従業禁止、命令入所制度、医療費公費負担（都道府県知事・政令市市長が実施、自己負担なし）
- 結核医療の基準（短期強化療法等）

(4) 結核発生動向調査

(5) 結核対策特別促進事業
- 大都市における治療率向上（DOTS）事業
- 高齢者等に対する結核予防総合事業

結核の死亡率は、昭和25年の人口10万対146.4から低下し続け、平成29年は1.8（前年比0.3ポイント増加）、死亡者数2,303人（前年比411人増）となり死因順位は30位（前年28位）であった。29年中の新規結核登録患者数は16,789人（前年比836人減）、罹患率は人口10万対13.3（前年比0.6ポイント低下）、29年末の結核登録者数39,670人（前年比2,629人減）のうち、活動性全結核の患者数は、11,097人（前年比620人減）、有病率は人口10万対8.8（前年比0.4ポイント低下）であった。死亡率、罹患率、有病率ともに先進諸国の中ではまだ高い状況にある。

結核対策は**結核予防法**（昭和26年制定）に基づいて実施されてきたが、平成19年から**感染症法**に基づいて行われている。制度的には、健康診断、予防接種、患者管理、結核医療を柱として一貫した対策を行うよう体系づけられている。予防接種は、16年の結核予防法改正によりBCG接種前のツベルクリン反応検査を廃止し、19年から**予防接種法**に基づき、生後6月に達するまで、25年の予防接種法の改正により生後1歳に至るまでに直接接種を行うこととなった。

結核の医療には医療費公費負担制度、潜在性結核感染症の届出、入院勧告、就業制限もある。改正**感染症法**に基づき、大臣告示として**結核医療の基準**が新たに整備され、平成19年4月全面改正され、21年から適用となった。**結核に関する特定感染症予防指針**は23年に改正され、**多剤耐性結核**などの複雑な管理に対応する中核的な病院との地域医療連携体制の構築、地域DOTS（**直接服薬確認**）の推進・強化が図られている。

参照：本編153～157頁（第3編第3章　3.結核）

3-23　検疫

検疫法と国際保健規則に基づき感染症の侵入を防御

検疫所配置数

平成31年('19) 4月

	総　数	海　港	空　港
総　　数	110	80	30
本　　所	13	11	2
支　　所	14	7	7
出　張　所	83	62	21

資料　厚生労働省医薬・生活衛生局生活衛生・食品安全企画課調べ

検疫（Quarantine）は、ヨーロッパでペストがまん延した14世紀に、地中海の諸国が国単位でペストの侵入を防ぐことから始まった。わが国の検疫は、明治12年の海港虎列刺病（コレラ）伝染予防規則に始まり、**検疫法**（昭和26年）と、国際的に取り決めがなされた**国際保健規則**（IHR：昭和46年制定、平成19年6月改正施行）に基づき行われている。

海外では中東呼吸器症候群（MERS）やエボラ出血熱、マラリア、鳥インフルエンザなどの**新興・再興感染症**が大きな国際問題となっている。検疫法に基づいて、**検疫感染症**14疾病を定めている。出国前の海外感染症情報の提供、予防啓発の実施、入国時の健康相談の充実など、海外の感染症の国内への侵入を防止するために、検疫の強化を図っている。

検疫所は、海外から検疫感染症が船舶、航空機を介して国内に侵入することを防ぐため全国の主要な海港80・空港30、計110カ所において、検疫業務を行っている。検疫業務には、**検疫法**に基づく人の検疫、港湾衛生業務、海外感染症情報の収集と提供、申請業務のほか、**食品衛生法**に基づく**輸入食品監視業務**がある。平成29年の人の検疫実績は、航空機による来航者4965万7千人（27万9千機）、船舶による来航者538万人（5万3千隻）であった。

参照：本編157～160頁（第3編第3章　4.検疫）

3-24　予防接種

予防接種は適切な時期に勧めて

令和元年('19) 5月

	定期接種	任意接種
生ワクチン	結核(BCG) 麻しん・風しん混合(MR) 麻しん 風しん 水痘	流行性耳下腺炎(おたふくかぜ) 黄熱 ロタウイルス(1価、5価) 帯状疱疹
不活化ワクチン・トキソイド	ポリオ(IPV) ジフテリア・破傷風混合トキソイド(DT) 百日せき・ジフテリア・破傷風混合(DPT) 百日せき・ジフテリア・破傷風・ 不活化ポリオ混合(DPT-IPV) 日本脳炎 インフルエンザ B型肝炎 小児の肺炎球菌(13価結合型) 高齢者の肺炎球菌(23価多糖体) インフルエンザ菌b型(Hib) ヒトパピローマウイルス(HPV)(2価、4価)	破傷風トキソイド A型肝炎 狂犬病 成人用ジフテリアトキソイド 髄膜炎菌(4価) 帯状疱疹

予防接種は感染症の流行予防（**集団予防・社会防衛**）と個々人の罹患予防（**個人予防**）を担う。世界から天然痘根絶、日本からポリオ（小児麻痺）一掃などの成果を挙げた。**予防接種法**（昭和 23 年）の平成 6 年改正で、予防接種は「**義務接種**」から「**勧奨接種**」に変更され、**努力義務**とされた。13 年改正では、集団予防を目的とした**一類疾病**（25 年の法改正で **A 類疾病**、努力義務）（ポリオ、DPT〈ジフテリア、百日せき、破傷風の 3 種混合ワクチン〉、麻しん（はしか）、風しん、日本脳炎（22 年から）、結核（19 年から）、ヒブ（25 年から）、小児を対象とした肺炎球菌（25 年から）、水痘（26 年から）、ヒトパピローマウイルス（25 年から））、個人予防に比重を置いた**二類疾病**（25 年の法改正で **B 類疾病**、努力義務）（高齢者を対象とするインフルエンザ、肺炎球菌（26 年から））は**定期接種**の対象となる。定期接種の対象外となった流行性耳下腺炎〈おたふくかぜ〉、ロタウイルス、A 型肝炎などは**任意接種**となる。

平成 19 年 12 月に策定した**麻しんに関する特定感染症予防指針**の中で、20 年 4 月から 5 年間を麻しんの排除のための対策期間として定め、定期予防接種に中学 1 年生と高校 3 年生に相当する年齢の者を時限的に追加した。26 年に中長期的な風しん対策に取り組むために**風しんに関する特定感染症予防指針**が策定された。なお、ヒトパピローマウイルス感染症の予防接種は、25 年 6 月から予防接種との因果関係が否定できない持続的な疼痛が特異的にみられることにより積極的勧奨が控えられている。

参照：本編 160 ～ 167 頁（第 3 編第 3 章　5.予防接種）

3-25　予防接種健康被害対策

予防接種による健康被害救済と根拠に基づく対応

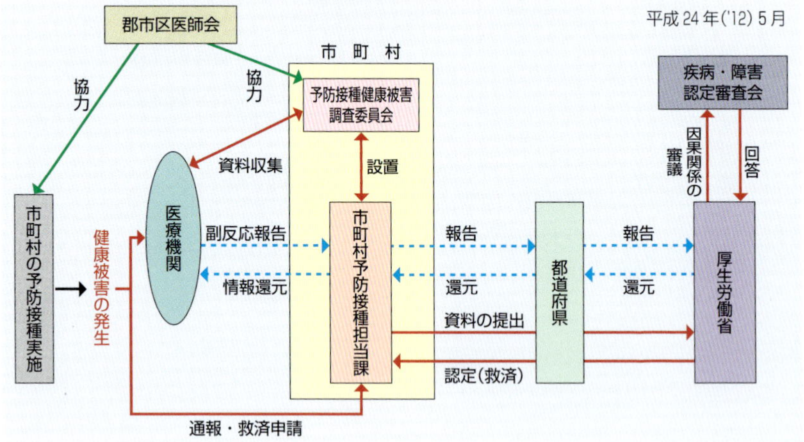

平成 24 年('12) 5 月

郡市区医師会
協力
協力
市 町 村
予防接種健康被害調査委員会
資料収集
設置
市町村の予防接種実施
健康被害の発生
医療機関
副反応報告
情報還元
市町村予防接種担当課
報告
還元
資料の提出
認定(救済)
都道府県
報告
還元
疾病・障害認定審査会
因果関係の審議
回答
厚生労働省
通報・救済申請

予防接種健康被害救済制度は、昭和 51 年公布の**予防接種法改正**により導入され、その後、平成 6 年の法改正で、義務接種から勧奨接種への移行とともに、予防接種による健康被害の迅速な救済の充実が図られている。なお、21 年 10 月から実施していた新型インフルエンザ（A/H1N1）予防接種による健康被害救済事業による給付は、新たな臨時接種と同額に遡及して引き上げられた。

予防接種後にまれに副反応による疾病に罹患したり、障害を残したり、死亡することが報告されており、その場合、予防接種法により医療費、医療手当、障害児養育年金、障害年金、死亡一時金などの給付が活用される。昭和 52 年から平成 30 年末までの累計で、予防接種健康被害認定者数は 3,321 人である。予防接種法の規定によらない予防接種を受けた場合に生じた**健康被害**は、**独立行政法人医薬品医療機器総合機構法**により救済される。

予防接種による健康被害発生の救済申請を受けた市町村は、調査委員会を開催し、症例についての情報の収集、整理を行い、都道府県を経て国に資料を提出する。これらの資料は、国に設置された疾病・障害認定審査会に諮られ、予防接種との因果関係が検討され、これを踏まえて、厚生労働大臣による認定の手続きがとられる。

参照：本編 165 ～ 166 頁（第 3 編第 3 章　5.3〕予防接種の健康被害救済）

がん対策基本法により予防・医療・研究・就労・教育等が推進

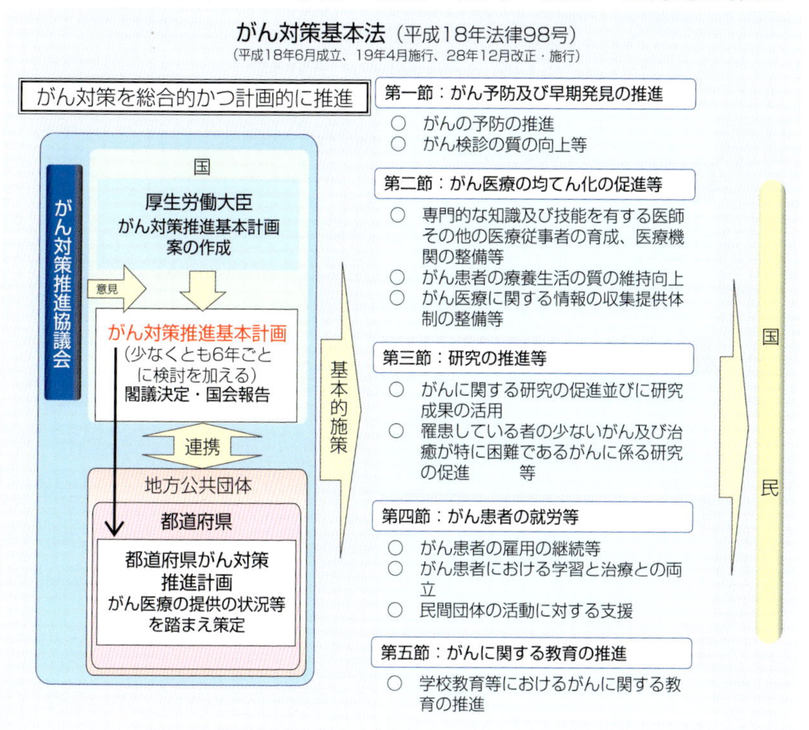

平成19年に「**がん対策基本法**」が施行され、「**がん対策推進基本計画**」が策定されている。28年の法改正により、がん患者の雇用の継続等に配慮することを事業主の努力義務とすること等が定められた。政府は、がん患者も参画した、がん対策協議会の意見を聴き、29年度から6年間の第3期計画が策定されている。「がん患者を含めた国民が、がんを知り、がんの克服を目指す」ことと、「がん予防」「がん医療の充実」「がんとの共生」を3つの柱とした全体目標、そして「これらを支える基盤の整備」（がん研究、人材育成、がん教育・普及啓発）を含めた分野別施策をまとめている。

参照：本編168～170頁（第3編第4章　1.がん対策）

3-27　がん診療連携拠点病院等

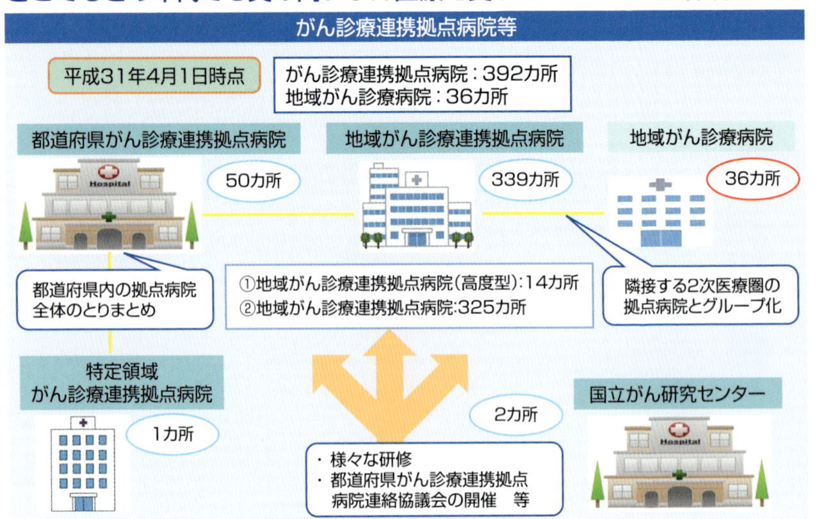

資料　厚生労働省健康局がん・疾病対策課「第12回がん診療提供体制のあり方に関する検討会（令和元年6月12日）資料2-1　がん診療提供体制の方向性及び現状について」

がん診療連携拠点病院は、専門的ながん医療の提供、地域のがん診療の連携協力体制の整備、患者・住民への相談支援や情報提供などの役割を担う病院として、国が定める指定要件を踏まえて厚生労働大臣が指定する病院である。図に示すように、各都道府県で中心的役割を果たす**都道府県がん診療連携拠点病院**（平成31年4月現在50カ所)、都道府県内の各地域（2次医療圏）で中心的役割を果たす**地域がん診療連携拠点病院**（339カ所）等がある。

また、小児・AYA世代（思春期・若年成人）のがん治療・支援についても、小児がん拠点病院（15カ所)、小児がん中央機関（2カ所）が指定されている。

緩和ケアとは、終末期に限らず、診断の時点から患者の身体的・精神的な苦痛緩和のための治療とケアを行うもので、専門の訓練を受けた緩和ケアチームが担当する。がん診療連携拠点病院を中心に提供体制の整備が進められている。

参照:本編168～169頁（第3編第4章　1.2〕がん診療連携拠点病院）

3-28　がん研究 10 か年戦略

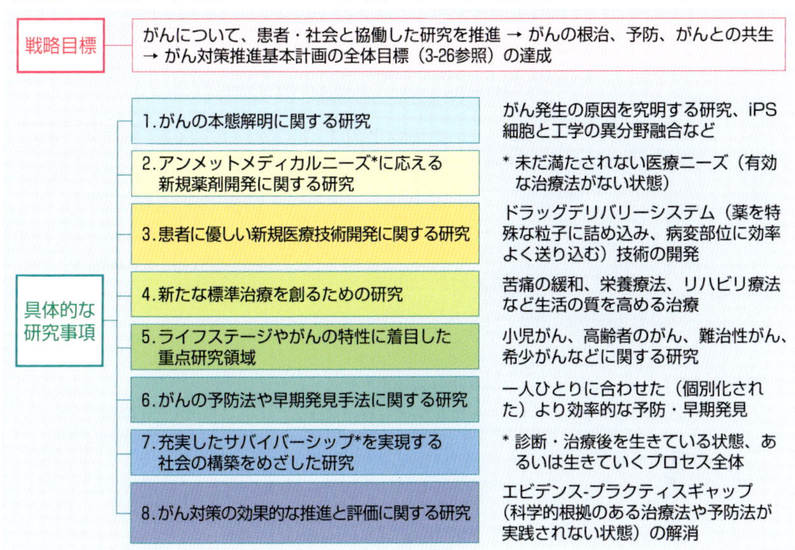

日本におけるがん研究の戦略は昭和 59 年度からの「**対がん 10 カ年総合戦略**」が最初に策定された。第 4 次にあたる 10 か年戦略が 3 つの省庁の連携により平成 26 年に策定されている。がん研究は、根治をめざした治療法の開発に加え、がん患者とその家族のニーズに応じた苦痛の軽減や、がんの予防と早期発見、がんとの共生といった観点を重視している。また提供されるがん医療について経済的視点も求められている。

がん研究全体として、長期的視点を持って研究成果を産み出すための研究が推進され、研究成果が国や自治体の施策、国民の健康増進行動へとつながることが必要である。さらに、臨床現場から新たな課題や国民のニーズを抽出し研究へと還元する、循環型の研究開発が必要である。そこで 3 つの省庁によって設立された**日本医療研究開発機構**（AMED）を活用して研究を推進している。また、産学官連携を確保した上で、必要な研究資源を確保し、総合的かつ計画的に研究を推進している。

参照：文部科学省・厚生労働省・経済産業省「がん研究 10 か年戦略」（平成 26 年 3 月）

3-29　がん登録

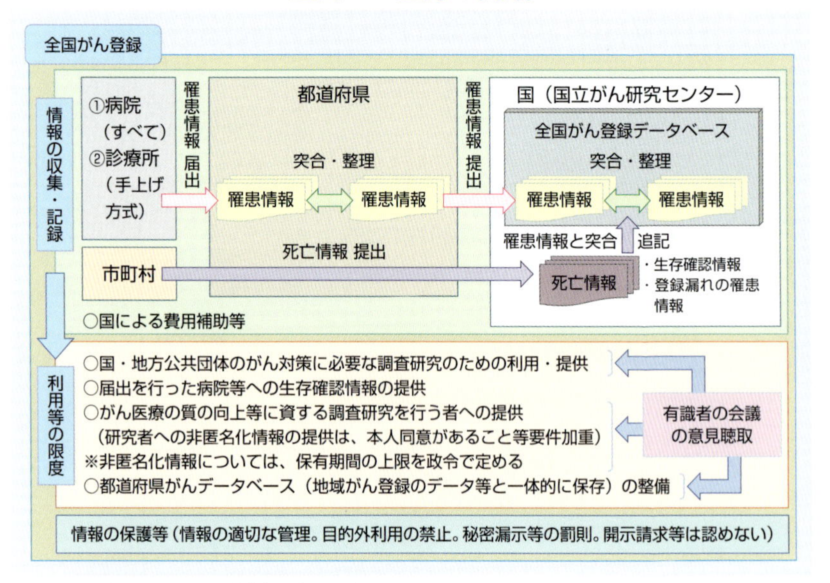

資料　厚生労働省ホームページ「全国がん登録」の仕組み

がん罹患情報とその追跡情報はがんの予防や治療の向上に欠かせない。

平成 25 年にがん登録等の推進に関する法律が成立し、28 年 1 月から「**全国がん登録**」が始まった。これにより日本でがんと診断されたすべての人のデータが都道府県に設置された「がん登録室」を通じて集められ、がんの罹患に関する情報を国が 1 つにまとめて集計・分析・管理することとなった。さらに、がん罹患情報は市町村から人口動態調査として国にあがってきた死亡情報と突合・整理され、国内のがん患者の情報を国が一元的に管理することで、がんのより正確な罹患率や生存率等が把握できるようになる。また、これらの登録情報を調査研究に活用し、その成果を国民に情報提供することができる。

この法律の中では、個人情報等の機微な情報も多く含まれるため、情報の保護等についての規定があり、全国がん登録情報等の適切な管理や目的外利用の禁止、秘密漏示等の罰則についても規定されている。

参照：厚生労働省「がん登録等の推進に関する法律（概要版）」

3-30　難病

難病の患者に対する医療等に関する法律（難病法）による支援

難病法に基づく施策	
定義	・難病：発病の機構が明らかでなく、かつ、治療方法が確立していない希少な疾病であって、当該疾病にかかることにより長期にわたり療養を必要とすることとなるもの
基本方針	・厚生労働大臣が定める：医療等の推進、医療提供体制、人材養成、調査研究、医薬品・医療機器の研究開発、療養生活の環境整備、福祉・就労等の施策との連携など
医療	・医療費助成の対象疾病（指定難病）：患者数が少なく、客観的な診断基準が確立 ・医療費助成：都道府県が医療費を支給（国はその１／２を負担） ・指定医（新規申請時の臨床調査個人票に記載）、指定医療機関（病院、診療所、薬局、訪問看護事業者等を幅広く指定）
医療に関する調査・研究	・研究事業：難治性疾患政策研究事業（診断基準、診療ガイドライン）、難治性疾患実用化研究事業（病因・病態の解明、医薬品・医療機器の開発など） ・医療提供体制整備事業：難病医療拠点病院・難病医療協力病院・難病診療連携拠点病院・難病医療支援ネットワークを整備 ・難病患者データベースの構築：難病患者のデータを一元的に管理して提供
療養生活環境整備事業	・難病相談・支援センターの充実：難病相談・支援員の研修参加促進、ピアサポートの研修会 ・福祉サービスの充実：障害者総合支援法による支援の対象となる難病等の範囲の拡大 ・就労支援の充実：難病患者就職サポーターの活用、難病雇用マニュアルによる普及啓発など ・難病対策地域協議会：保健所が設置し、相談・福祉・就労・医療などの支援

児童福祉法による施策（18歳未満（一部20歳未満）が対象）	
小児慢性特定疾病対策	・医療費助成、自立支援事業（相談支援、情報提供等）、研究の推進、移行期医療支援体制整備事業（成人期に向けての医療）

スモンの多発などを契機に、昭和 47 年「難病対策要綱」が策定され、対策が進められてきた。平成 25 年度からは、障害者総合支援法によって障害者の定義に難病等が含まれることになった。27 年に**難病の患者に対する医療等に関する法律（難病法）**が施行となった。同法に基づく基本方針には、医療提供体制、人材養成、調査研究、療養生活の環境整備、福祉サービス・就労支援などについて、今後の取り組みの方向性が記載されている。医療費助成の対象となる指定難病は令和元年 7 月現在で 333 疾病である。また、難病法に基づく特定医療費（指定難病）受給者証所持者数は平成 29 年度末現在 89 万人である。

参照：本編 170 ~ 176 頁（第３編第４章　2.難病対策）

3-31 腎疾患、臓器移植

造血幹細胞移植には骨髄・臍帯血・末梢血幹細胞の３種類

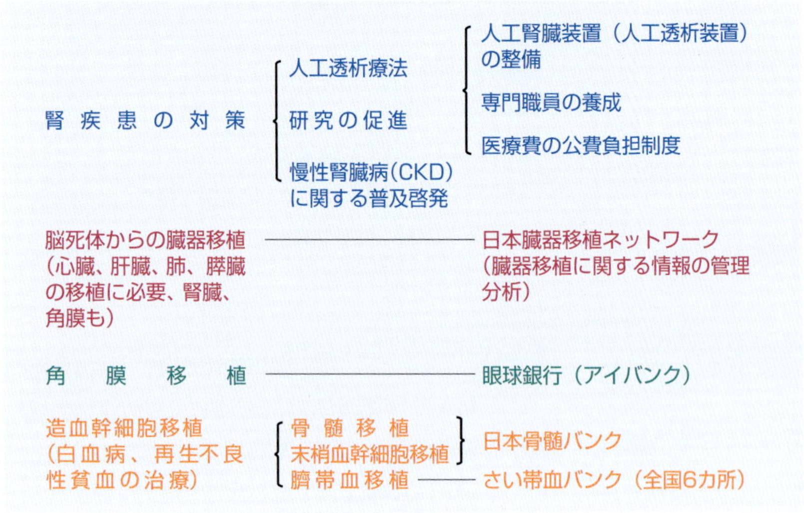

- 腎疾患の対策
  - 人工透析療法
    - 人工腎臓装置（人工透析装置）の整備
    - 専門職員の養成
    - 医療費の公費負担制度
  - 研究の促進
  - 慢性腎臓病(CKD)に関する普及啓発
- 脳死体からの臓器移植（心臓、肝臓、肺、膵臓の移植に必要、腎臓、角膜も） —— 日本臓器移植ネットワーク（臓器移植に関する情報の管理分析）
- 角膜移植 —— 眼球銀行（アイバンク）
- 造血幹細胞移植（白血病、再生不良性貧血の治療）
  - 骨髄移植／末梢血幹細胞移植 —— 日本骨髄バンク
  - 臍帯血移植 —— さい帯血バンク（全国6カ所）

腎疾患の対策は**人工透析**に支えられている。患者数などは増加の一途で、平成 29 年末、人工透析患者 33 万人である。透析医療は自立支援医療による公費負担が行われている。また、慢性腎臓病（CKD）に関する知識の啓発、人材育成等が行われている。

平成 9 年に脳死を人の死とする**臓器の移植に関する法律**が施行され、法に基づく脳死下での臓器提供と心臓などの移植が行われている。また、本人の意思が不明な場合に家族の承諾による臓器摘出が可能となっている。31 年 3 月までに臓器移植法に基づく脳死下での臓器提供は 588 例行われている。**角膜移植**については、アイバンク（眼球銀行）が整備されている。骨髄移植（健康者の骨髄液を患者に輸注）は、日本骨随バンクが日本赤十字社の協力を得てドナー募集・登録を行っている。**臍帯血移植**（出産の際に臍帯血の造血幹細胞を分離）はさい帯血バンクが採取、検査、保存などを行っている。また、末梢血幹細胞移植（薬剤を注射して末梢血中の造血幹細胞を増やして成分献血する方法）のコーディネートも行われている。

参照：本編 176 ～ 182 頁（第３編第４章　3.腎疾患、6.1〕臓器移植・組織移植、2〕造血幹細胞移植）

被爆者健康手帳の交付者数はピークの37万人から現在は15万人に減少

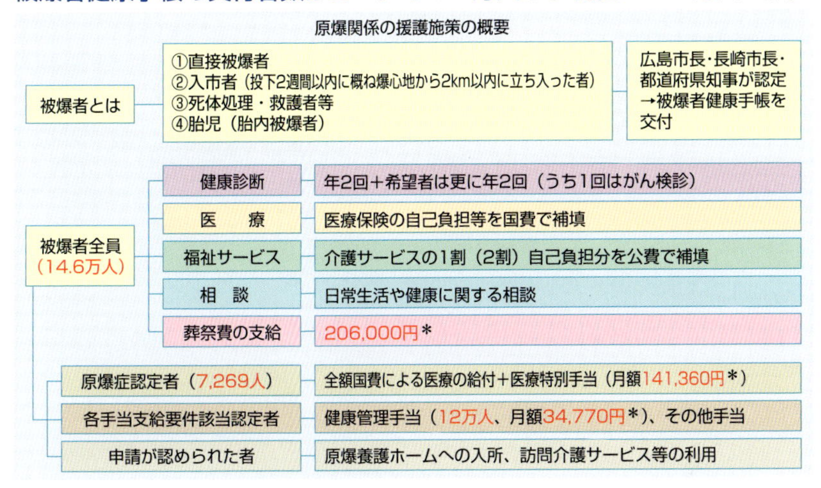

注　人数は平成31年（'19）4月現在。*は平成31年度。

原爆被爆者対策について、昭和20年8月、広島市と長崎市に投下された原子爆弾による被爆者は、放射線による健康影響という「特別の犠牲」を有している。被爆者の高齢化の進行なども考慮して、平成6年、それまでの施策を充実発展させるために、**原子爆弾被爆者に対する援護に関する法律**（**被爆者援護法**）が制定された。この法律に基づいて、保健、医療、福祉にわたる総合的な被爆者援護対策が実施されている。これには、健康診断、医療の給付（介護保険の医療系サービスを含む）、手当の支給、福祉事業、その他の事業がある。

リウマチ・アレルギー疾患対策については、リウマチ、気管支ぜん息、アトピー性皮膚炎、花粉症、食物アレルギーなどの免疫アレルギー疾患は、国民の2人に1人に関係があり、重大な問題となっている。**アレルギー疾患対策基本法**が施行され、基本的な指針が策定され、生活環境の改善、医療や患者支援体制の整備、研究等が進められている。

症状に着目した横断的な対策として、慢性疼痛対策に関して研究の推進、相談・支援事業（からだの痛み相談センター）が推進されている。

参照：本編178～179、182～184頁（第3編第4章
4.リウマチ・アレルギー疾患対策、5.慢性疼痛対策、6.3〕原爆被爆者対策）

コラム2　ナイチンゲール

統計を駆使した医療・看護の質の改革者

Florence Nightingale　(1820-1910 年)
出典：現代社　セシル・ウーダム-スミス著「フローレンス・ナイチンゲールの生涯」

近代看護学・衛生理論確立の第一人者であるフローレンス・ナイチンゲール（1820 年フィレンツェ生まれ）が、現実的な対策を立てるために統計を駆使し「医療・看護の質の評価」を実施していたことはあまり知られていない。

ラテン語や哲学・数学・天文学・経済学などの教育を受けた後、看護婦になることを目指した彼女は 30 歳でドイツの看護学校へ行き、体系的に看護理論を学んだ。トルコ・クリミア戦争下のイギリス陸軍病院の総婦長として 34 歳で従軍。陸軍病院における「入院兵士の大半は負傷兵ではなく、栄養不良、壊血病、凍傷、コレラ、赤痢などの病人である」と、自ら作成したダイヤグラムを添えた定量的な現状報告を陸軍大臣に送り、「疾病の大半が治療上の制度の欠陥あるいは不備に由来する。適正な食事、衣類、個室、一般衛生があれば、戦死した兵士 1 人に対して病死が 7 人という現実は阻止できた。病院が病気を作り出している」と病院改革の必要性を説いた。

ナイチンゲールの説に従い病院管理を改革したところ病院死亡率は 42.0 %から 2.2 %へと劇的に低下した。「ランプを掲げた淑女（The Lady with the lamp)」の功績は、白衣の天使として個別の患者を昼夜にわたりケアしたことに加え、統計を利用して客観的に全体の医療・看護の質を評価し、従来の病院の医療・看護のマネージメント改革を行ったことも大きい。

参考資料
●福井幸男：「知の統計学 2：ケインズからナイチンゲール、森鷗外まで」、共立出版、1977.
●ナイチンゲール博物館 HP: http://www.florence-nightingale.co.uk

4-1　医療介護改革の取り組み

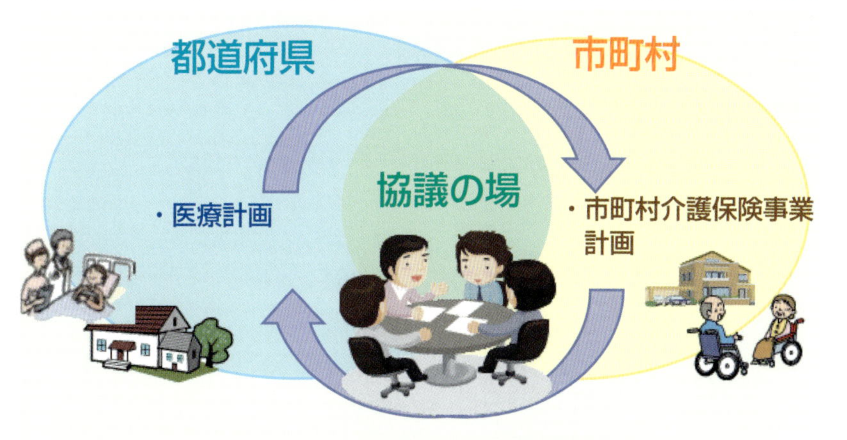

資料　第7回　社会保障制度改革推進会議　厚生労働省提出資料「医療・介護改革の取組」平成29年6月22日

高齢者数がピークを迎える 2040 年頃の社会保障制度を展望すると、社会保障の持続可能性を確保するための給付と負担の見直し等と併せて、新たな局面に対応する課題である「健康寿命の延伸」や「医療・介護サービスの生産性の向上」を含めた新たな社会保障改革の全体像について、国民的な議論が必要である。

平成 28 年度末に全都道府県で地域医療構想の策定が完了し、地域ごとに 2025（令和 7）年時点での病床の必要量が「見える化」された。また、今後の診療報酬改定・介護報酬改定において、病床の機能分化・連携の取り組みの後押し、介護施設、高齢者住宅、在宅医療等への転換等の対応が進められることとなった。実効的な整備目標の設定に向けて、医療サービスと介護サービスが、地域の実情に応じて補完的に提供されるよう、都道府県や市町村の医療・介護担当者等の関係者による協議の場が設置され、多様な職種・事業者を想定した取り組みや地域支援事業と連携した取り組みが実施されることとなった。具体的には、公立病院、公的医療機関等 2025 プラン対象医療機関は新公立病院改革プラン、公的医療機関等 2025 プランを策定し、当該医療機関でなければ担えない分野へ重点化されているか等について地域医療構想調整会議等において確認することとなった。

参照：本編 190 ～ 194 頁（第 4 編第 1 章　医療提供体制）

4-2　医療政策

どこに住んでいても適切な医療・介護サービスが受けられる社会を実現する

患者等への医療に関する情報提供の推進	患者等が医療に関する情報を十分に得られ、適切な医療を選択できるよう支援する。
医療計画制度の見直し等を通じた医療機能の分化・連携の推進	医療計画制度を見直し、地域連携クリティカルパスの普及等を通じ、医療機能の分化・連携を推進し、切れ目のない医療を提供する。早期に在宅生活へ復帰できるよう在宅医療の充実を図る。
地域や診療科による医師不足問題への対応	へき地等の特定地域、小児科、産科などへの特定の診療科における医師不足の深刻化に対応し、医師等医療従事者の確保策を強化する。
医療安全の確保	医療安全支援センターの制度化、行政処分を受けた医師等への再教育など。
医療従事者の資質向上	行政処分を受けた医師等への再教育、看護師・助産師等の名称独占規定、外国人看護師・救急救命士等への臨床修練制度への参加など。
医療法人制度改革	医業経営の透明性や効率性の向上を目指す。 公立病院等が担ってきた分野を扱う医療法人制度を創設する。
その他	患者の視点に立った医療法の見直しや有床診療所の規制の見直しなど。

社会保障の重要な分野である医療制度を裏打ちする**医療法**については、昭和23年に制定されて以来、九次にわたり大きな改正がなされている。地域間の医師偏在の解消等を通じ、地域における医療提供体制を確保するため、医師少数地区で勤務した医師の評価、都道府県の医師確保対策実施の強化などをすすめる。

近年では、平成18年に、患者の選択のための情報提供体制の推進、安全で安心できる医療の再構築（4-7節）、**質の高い医療の提供体制**・機能分化・連携と地域医療の確保、医療を担う人材の確保・資質向上、医療を支える基盤の整備等に関する医療法改正が実施された。また、20年6月には医療のあるべき姿を示す**安心と希望の医療確保ビジョン**が策定され、病院・病床機能の分化・強化、在宅医用の推進、医師確保対策、チーム医療の推進、医療・介護サービス提供の効率化・重点化と機能強化を図る。30年度には地域間の医師偏在の解消などが定められている。

平成25年8月の社会保障制度改革国民会議の報告書を受けて26年に成立した医療介護総合確保推進法により、新たに導入された**地域医療構想**（4-4節）は、各地域における将来（2025年）の医療需要および機能別の病床の必要量から医療提供体制を考え実現する。29年6月改正では、検体検査の精度の確保、特定機能病院のガバナンス体制の強化、医療に関する広告規制の見直し等が盛り込まれた。

参照：本編 185～188 頁（第４編第１章　1.1〕医療提供体制の動向）

4-3　医療計画

高齢化が進む将来に向けて都道府県が地域医療提供体制を計画的に進める

医療計画の記載事項

1. がん、脳卒中、心筋梗塞等の心血管疾患、糖尿病および精神疾患（5疾病）の治療または予防に係る事業
2. 次に掲げる医療の確保に必要な事業（5事業）
   救急医療、災害時における医療、へき地の医療、周産期医療、小児医療（小児救急医療を含む）、その他
3. 「5疾病5事業」の事業の目標
4. 「5疾病5事業」の事業に係る医療連携体制
5. 医療連携体制における医療機能に関する情報提供の推進
6. 居宅等における医療の確保
7. 地域医療構想
   ア　構想区域における病床機能ごとの将来の必要病床数
   イ　構想区域における将来の在宅医療等の必要量
8. 「地域医療構想」の達成に向けた病床の機能分化および連携の推進
9. 病床の機能に関する情報の提供の推進
10. 医師、歯科医師、薬剤師、看護師その他の医療従事者の確保
11. 医療の安全の確保
12. 地域医療支援病院の整備目標等、医療機能を考慮した医療提供施設の整備目標
13. 二次医療圏の設定
14. 三次医療圏の設定
15. 基準病床数
16. その他医療を提供する体制の確保

医療計画は昭和60年の医療法改正で法制化され、高齢化に伴う疾病構造の変化や医療技術の進歩等に対応して大きく8回改正されている。医療資源の適正な配置、医療関係施設間の機能分担と連携、良質な地域医療の体系的な整備等の推進のために都道府県により作成されるものである。

医療計画には図に示す16項目が記載される。国民の多くが悩まされる**5疾病**と、医療提供の緊急課題の**5事業**への対応、在宅医療提供体制の構築、医療連携体制、マンパワーの確保、医療の安全、**地域医療構想**等がある。また、二次医療圏、三次医療圏、基準病床数なども記載されている。医療計画の策定単位となる**二次医療圏**は、一般の医療で、主に病院の入院に係る医療を提供する体制確保を図る区域であり、平成25年度に見直された。**三次医療圏**は、先進的な技術を必要とするものなど、特殊な医療を提供する体制確保を図る区域で、原則として都道府県単位である。医療計画は5年計画であったが、30年からの**第七次医療計画**から、**第七期介護保険事業計画**に合わせて6年計画となった。

参照：本編188～192頁〔第4編第1章　1.2〕医療計画〕

4-4　地域医療構想の推進

「地域医療構想」の達成に向けたいっそうの取り組み

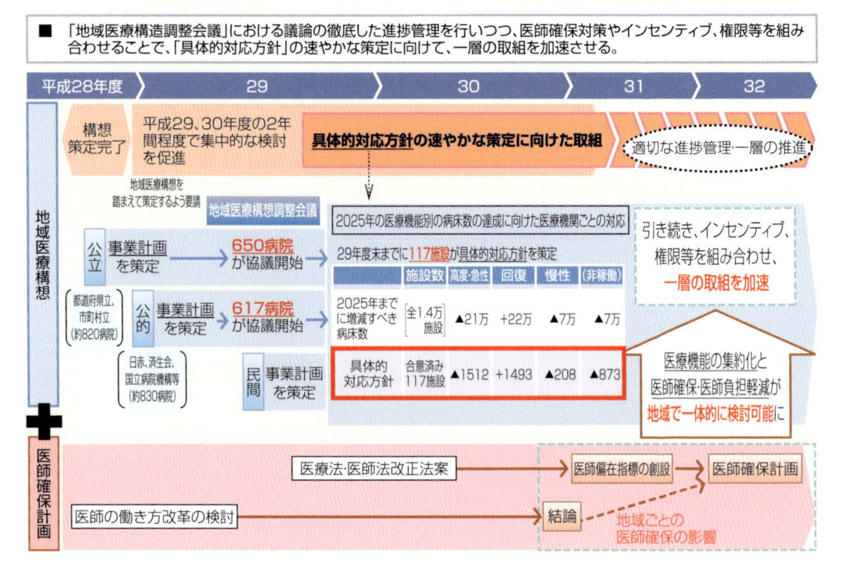

資料　平成30年第6回経済財政諮問会議　厚生労働省提出資料「2040年を展望した社会保障の政策課題と地域医療構想の達成に向けた取組」平成30年5月21日より抜粋

地域医療構想は、二次医療圏（**4-3節**）を構想区域として、高度急性期・急性期・回復期・慢性期の4機能ごとに将来（当面は2025年）の医療需要および病床の必要量を推計し、病床の機能分化と連携を推進する。また、在宅医療の医療需要も含め将来のあるべき医療提供体制を示したものである。さらに、2040年を展望した地域医療構想の達成に向けた検討が行われている。

これは、平成26年の医療法改正により病床機能報告制度と一緒に導入され、28年度末までにすべての都道府県で策定されている。構想区域ごとに医療関係者、医療保険者などからなる**地域医療構想調整会議**を開催し、構想の達成のための協議を行う。これまでに個別医療機関ごとの方針、なかでも公立病院、公的医療機関でなければ担えない分野を重点化して検討し、医療機能の他医療機関への統合や再編を含めて協議する。病床が稼働していない病棟の再稼働あるいは廃止や新たな医療機関の開設や増床を含め検討する。地域医療連携推進法人を創設し構想区域での機能分担の達成を支援する。これらを通じて2025年の地域医療構想を実現に近づける。

参照：本編188～192頁（第4編第1章　1.2〕医療計画）

4-5　在宅医療の推進

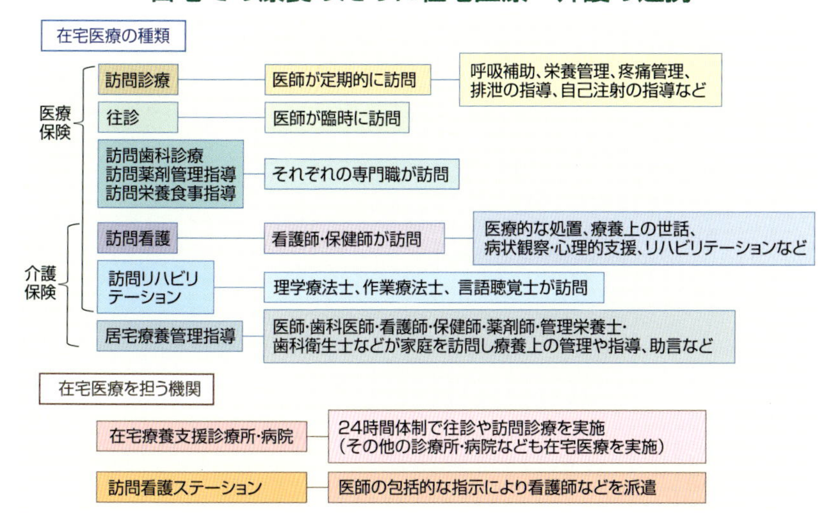

高齢化が進行し、自宅での療養を望む国民が少なくないことから、在宅医療と介護の確保は重要であり、多職種による地域包括ケアシステムの構築が進められている。在宅医療は、退院支援、日常の療養支援、急変時の対応、看取りなどの体制が必要である。診療所・病院、訪問看護事業所（訪問看護ステーション）、薬局などによって担われており、その連携体制について、市町村や医師会等による在宅医療連携拠点、地域包括支援センターが構築支援している。

在宅医療は、診療報酬等の改定により推進されている。また、介護保険法の地域支援事業として、在宅医療・介護連携が推進されている。その事業では、①医療・介護の資源の把握、②課題の抽出と対応策の検討、③切れ目のない提供体制の構築、④情報共有の支援、⑤連携に関する相談支援、⑥関係者の研修、⑦地域住民への普及啓発、⑧関係市区町村の連携が進められている。さらに、小児等在宅医療を始めとした個別の疾患等に着目したサービスの充実・支援等が推進されている。

参照：本編 192 ～ 194 頁（第 4 編第 1 章 1.3〕在宅医療の推進、4〕訪問看護）、厚生労働省ホームページ　在宅医療の推進について　等

4-6　救急医療、災害時医療、へき地医療

医療計画に基づく救急医療、災害時医療、へき地医療の展開

＝ 機能分担による救急医療 ＝

休日夜間	休日夜間	24時間
初期救急医療施設	第二次救急医療施設	第三次救急医療施設
・在宅当番医制 [625地区] (平30.4.1) ・休日夜間急患センター [575カ所] (平30.4.1)	・病院群輪番制病院 [421地区2,851カ所] (平30.4.1) ・共同利用型病院 [22カ所] (平30.4.1) ・小児救急医療拠点病院 [40カ所(14県)] (平30.4)	・救命救急センター [290カ所] (平31.4.1) ・小児救命救急センター [17カ所] (平30.11.1)

資料　厚生労働省「第15回 救急・災害医療提供体制等の在り方に関する検討会（令和元年7月18日）参考資料2」

医療計画の5事業に位置づけられ医療確保のため計画に記載される（**4-3節**）。

わが国の**救急医療**では、救急救命士の業務の拡大や救命救急センターの整備、一般人による自動体外式除細動器(AED)の使用が進められた。救急医療体制も外来診療で対応する初期、入院治療を必要とする重症な救急患者を対象とした二次、二次救急医療機関で対応できない重篤な救急患者に高度な医療を総合的に提供する三次に類型化し、三次に該当する救命救急センターも平成31年4月1日で290カ所整備されている。24年診療報酬改定で、休日夜間の救急外来患者に**院内トリアージ**が認められた。広域救急患者の搬送のため19年の法制化により**ドクターヘリ**の導入が推進された（31年3月末現在43道府県53機）。

災害時の救急医療のため災害拠点病院が設置され(平成31年4月1日､742カ所)、災害時に**災害派遣医療チーム**（Disaster Medical Assistance Team：**DMAT**）を派遣する。その活動は、災害現場の活動、医療機関の支援、搬送の介助等である。

無医地区を対象に、**へき地保健医療対策**が推進されている。無医地区とは、医療機関のない地域でその中心から概ね半径4kmの区域内に50人以上が居住しているが容易に医療機関を利用できない地区である。年々減少し、平成26年は637カ所である。国民が平等に医療を受診できるよう、医療資源の都市部への偏在という地域格差の是正が重要であり、今後も都道府県がへき地保健医療体制の構築に取り組む。

参照：本編194～199頁（第4編第1章　1.5〕救急、休日夜間医療、8〕災害時医療、9〕へき地医療）

4-7　医療安全対策

医療の安心・安全の確保と院内感染対策の充実

対策分野	主な内容
1　医療機関における安全対策	1）すべての病院・有床診療所に対しての義務づけ （1）安全管理指針の整備 （2）院内での事故報告等に基づく改善 （3）安全管理委員会の設置 （4）安全管理のための職員研修の実施 2）特定機能病院、臨床研修病院に対しての義務づけ （1）医療安全管理者の配置 （2）医療安全管理部門の設置 （3）患者の相談窓口整備
2　医薬品・医療機器等に係る安全性の向上	医薬品・医療機器の企業による「使用の安全」に留意した製品の開発と改良および医療機関等への情報提供の推進
3　医療安全に関する教育・研修	国家試験の出題基準に医療安全を位置づける等
4　調査研究等の環境整備	厚生労働科学研究費補助金による、医療安全に必要な研究の計画的な推進
5　患者・家族等の苦情や相談等に対応するための体制の整備	都道府県等への医療安全支援センターの設置促進
6　医療事故情報収集等事業	医療事故の発生予防・再発予防を目的として、第三者機関において、これまでのヒヤリ・ハット事例の収集、報告書の公表

医療の安全・安心を確保することは、医療政策の最重要課題の1つである。これまで進められてきた、「医療における安全の確保」「医療における信頼の確保」「**医療の質の向上**」の視点から、平成18年6月医療法が改正され、病院、診療所、助産所の管理者に**医療安全の確保**が義務づけられた。

医療安全対策を個人の注意のみに頼らず、医療システム全体の問題ととらえ、他産業の安全対策も取り入れながら体系的に実施することの重要性が指摘されている。住民の医療に対する信頼を確保するため、都道府県、保健所を設置する市、特別区は医療安全支援センターの設置が求められ、医療機関への助言、患者・住民に対する情報提供、地域における意識啓発を図り医療安全を推進する。

医療事故情報収集等事業により医療事故情報やヒヤリ・ハット事例を収集・分析し広く医療機関が医療安全対策の情報を入手できるようにする。医療事故調査・支援センターを設置し、医療機関管理者から報告された医療に起因すると考えられる死亡・死産の調査、遺族への説明を行う。平成31年4月までに8編の医療事故再発防止への提言が公表された。

また、**メチシリン耐性黄色ブドウ球菌**（MRSA）、**バンコマイシン耐性腸球菌**（VRE）などの耐性菌の出現などから、**院内感染対策**が重要な課題となり、平成26年12月には①アウトブレイク早期把握の新たな判断基準、②抗菌薬の適正使用等、27年には「薬事耐性菌に関する提言」が周知された。

参照：本編199～201頁（第4編第1章　1.10〕医療安全対策、11〕院内感染対策）

特に医師・看護師の偏在・不足の対応と資質向上

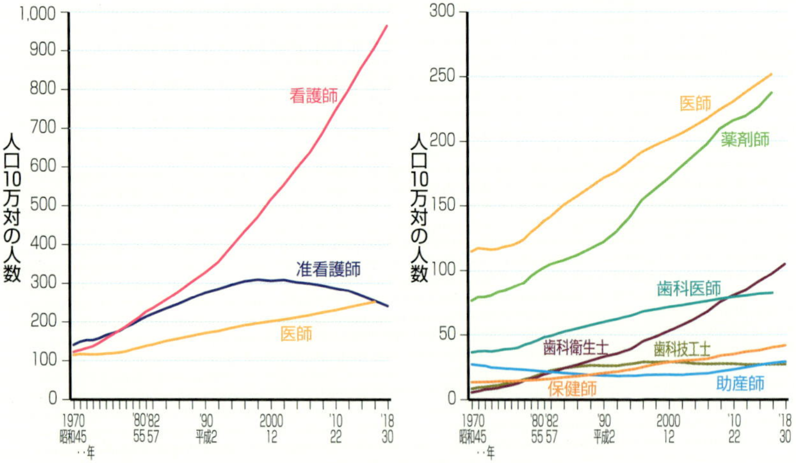

資料　厚生労働省「医師・歯科医師・薬剤師調査」「衛生行政報告例」（昭和 57 年から隔年実施）
注　医師・歯科医師・薬剤師については登録者の届け出数の人口 10 万対、保健師・助産師・看護師・准看護師・歯科衛生士・歯科技工士については就業者数の人口 10 万対である。

医師、看護師不足に対し養成数の増加と資質向上は不可欠であり、重要な国の責務である。医師・歯科医師・薬剤師調査では、平成 28 年末現在、医師 31 万 9 千人、歯科医師 10 万 5 千人、薬剤師 30 万 1 千人が届け出ており、衛生行政報告例では、30 年末現在、保健師 5 万 3 千人、助産師 3 万 7 千人、看護師と准看護師の計 152 万 3 千人、歯科衛生士 13 万 3 千人、歯科技工士 3 万 4 千人が就業している。

医師は平成 16 年度から、歯科医師は 18 年度から、資質向上のため、**臨床研修が必修化**された。また、医師の地域偏在と診療科偏在の解消を目的として、30 年に医師法、医療法が改正され、（1）医師少数区域等で勤務した医師を評価する制度の創設、（2）都道府県における医師確保対策の実施体制の強化、（3）医師養成過程を通じた医師確保対策の充実、（4）地域の外来医療機能の偏在・不足等への対応等、対策の強化が図られている。

看護職員確保対策は、より手厚い看護体制の実現、勤務条件の改善、離職防止と再就業の促進対策も図られてきたが不足していると考えられ、医療従事者の需給に関する検討会、看護職員需給分科会で**地域医療構想**（**4 - 4 節**）の 2025 年の医療需要を踏まえて検討が進められる。また、新たに業務に従事する看護職員の臨床研修、**特定行為に係る看護師の研修制度**など、資質向上が図られる。さらに、外国人看護師候補者の受け入れにより、29 年度までにインドネシア 174 人、フィリピン 168 人、ベトナム 71 人が看護師国家試験に合格している。

参照：本編 205 ～ 220 頁（第４編第１章　2.医療関係者）

4-9　医療施設

平均在院日数の減少により多くの入院患者を受け入れ可能に

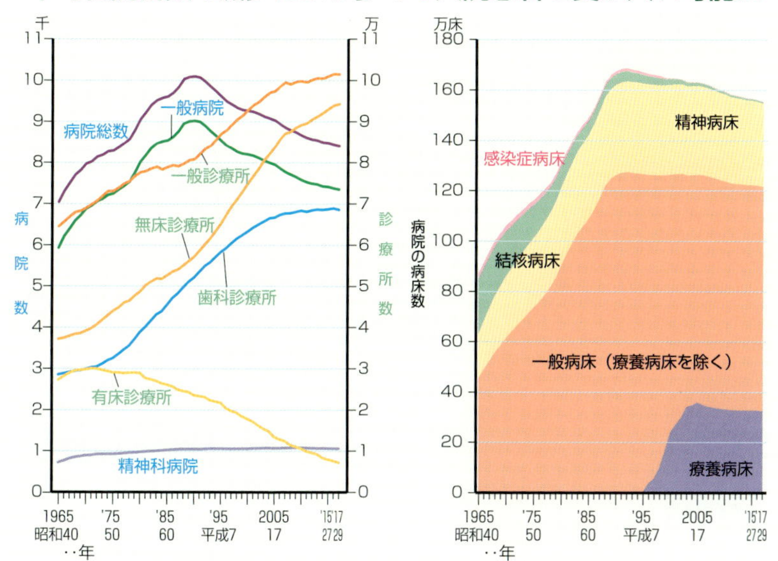

資料　厚生労働省「医療施設調査」

国民の医療を担当する施設として病院、診療所、介護老人保健施設、薬局、助産所が医療法で定められている。医療施設調査によれば、平成 29 年 10 月現在、病院は 8 千で、2 年をピークに減少している。無床診療所は 9 万 4 千、有床診療所が 7 千、歯科診療所が 6 万 9 千である。無床診療所が増加し、有床診療所は減少傾向、歯科診療所は近年ほぼ横ばいである。

療養病床（4 -10 節）は、主として長期にわたり療養を必要とする患者を入院させるための病床である。療養病床を有する施設と病床数は、平成 29 年 10 月現在、病院 3,781 施設（全病院の 44.9 %）、33 万床と病床数は横ばい、一般診療所 902 施設（有床診療所の 12.5 %）、9 千床と減少している。

平成29年病院報告によると、病院の 1 日平均在院患者数は 125万 2 千人で、前年より 0.1 %増加し、精神病床は 0.6 %、療養病床は 0.8 %、介護療養病床は 9.7 %、結核病床は 5.1 %といずれも減少している。**平均在院日数**は、精神病床 267.7 日、療養病床 146.3 日、介護療養病床 308.9 日と減少している。これは、在宅医療の推進が図られていることも影響している。

参照：本編 220 ～ 225 頁（第 4 編第 1 章　3.医療施設）

在宅医療の推進により病院や療養病床が減少傾向

平成18年('06)7月施行

	一般病床	療養病床	精神病床		感染症病床	結核病床
定　義	精神病床、結核病床、感染症病床、療養病床以外の病床	主として長期にわたり療養を必要とする患者を入院させるための病床	精神疾患を有する者を入院させるための病床		感染症法に規定する一類感染症、二類感染症及び新感染症の患者を入院させるための病床	結核の患者を入院させるための病床
			100床以上の病院（注①）、並びに大学附属病院（特定機能病院を除く）	左以外の病院		
人員配置基準	医師 16:1 看護職員 3:1 薬剤師 70:1	医師 48:1 看護職員 4:1 看護補助者 4:1 薬剤師 150:1	医師 16:1 看護職員 3:1 薬剤師 70:1	医師 48:1 看護職員 4:1 薬剤師 150:1 経過措置あり	医師 16:1 看護職員 3:1 薬剤師 70:1	医師 16:1 看護職員 4:1 薬剤師 70:1
構造設備基準　必置施設（一般病床に必要な設備以外）	注②	機能訓練室、談話室、食堂、浴室	精神疾患の特性を踏まえた適切な医療の提供と患者の保護のために必要な施設		機械換気設備、感染予防のためのしゃ断、必要な消毒施設	機械換気設備、感染予防のためのしゃ断、必要な消毒施設
構造設備基準　病床面積	6.4m²／床以上〈既設〉注③	6.4m²／床以上 注④	6.4m²／床以上〈既設〉注③			
構造設備基準　廊下幅	1.8m以上（両側居室2.1m）既設:1.2m以上（両側居室1.6m）	1.8m以上（両側居室2.7m）既設:1.2m以上（両側居室1.6m）	1.8m以上（両側居室2.1m）既設:1.2m以上（両側居室1.6m）	1.8m以上（両側居室2.7m）既設:1.2m以上（両側居室1.6m）	1.8m以上（両側居室2.1m）既設:1.2m以上（両側居室1.6m）	1.8m以上（両側居室2.1m）既設:1.2m以上（両側居室1.6m）

注　介護療養型医療施設は、介護老人保健施設に転換が進んでいるが、経過措置として現状維持の適応を受ける施設がある。
① 内科、外科、産婦人科、眼科、耳鼻咽喉科を有する100床以上の病院
② 一般病床で必要な設備：各科専門の診察室、手術室、処置室、臨床検査施設、エックス線装置、調剤所、給食施設、分べん室および新生児の入浴施設、消毒施設、洗濯施設、消火用の機械または器具
③ 6.3㎡／床以上（1人部屋）、4.3㎡／床以上（その他）
④ 平成5年4月1日時点ですでに開設の許可を受けていた病院内の病床を、12年4月1日までに転換して設けられた療養型病床群であった場合は、6.0㎡／床以上。

平成12年の第4次医療法改正により、病院と有床診療所について、病床区分の見直し、必置規制の緩和、適正な入院医療の確保が図られ、病院では病床区分が**療養病床**と**一般病床**に区分され、病床区分ごとに新たな**人員配置基準**と構造設備基準が設けられた。18年の第5次医療法改正より表に示した基準となっている。

療養病床とは、病院と一般診療所で、主として長期にわたり療養を必要とする患者を収容するための病床を指す。療養病床は平成29年10月1日現在、病院と診療所を合わせて約33万4千床である。

一般病床については、患者1人当たり病床面積が広くされ、新築・全面改築の際に、6.4m² 以上としなければならない。また、人員配置基準は平成18年3月から入院患者3人に看護師1人と引き上げられた。療養病床でも、人員配置基準は入院患者4人に看護師1人となっている。

平成26年の医療法改正により都道府県の医療計画（**4-3節**）に、**地域医療構想**が策定されている。地域医療構想においては、構想区域ごとに高度急性期･急性期･回復期・慢性期の4つの機能ごとに2025年の医療需要および必要病床数が推計され、将来のあるべき医療提供体制を実現すべく、評価と取り組みの実施が推進される（**4-4節**）。

参照：本編220～225頁（第4編第1章　3.医療施設）

4-11　わが国の医療保険制度の概要

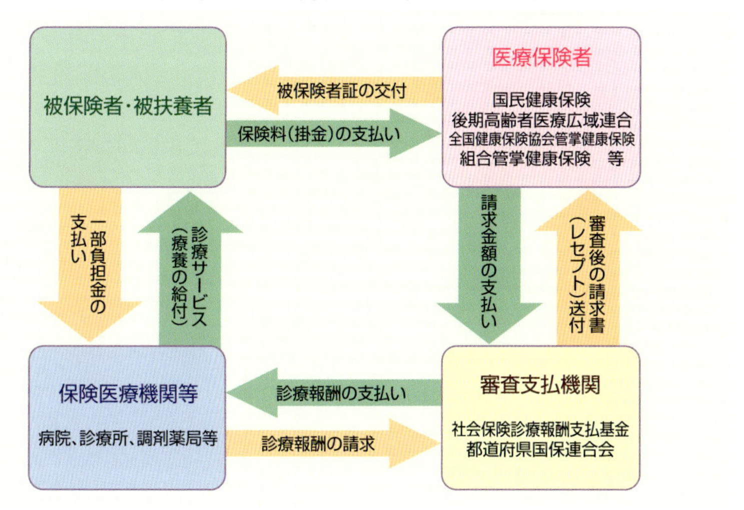

医療保険制度の目的は疾病や負傷による医療費の負担等によって、国民が経済的困窮に陥ることを防止することである。わが国の医療保険は被用者保険と国民健康保険および後期高齢者医療に大別され、いずれも保険料、国庫補助、患者の自己負担を財源とする。わが国の医療保険制度の大きな特徴に、**国民皆保険**（すべての国民がいずれかの医療保険制度に加入する）と、**現物給付**（被保険者は医療機関で医療サービス（現物）を受ける）が挙げられる。

一般に保険においては、保険者（保険を運営する者）と被保険者（保険料を支払い、給付を受ける者）がある。保険診療の仕組みとして、被保険者は病気やけがをした場合、保険医療機関（病院、診療所等）で診療サービス（**療養の給付**）を受け、一部負担金を支払う。保険医療機関は**診療報酬**（医療費から一部負担金を除いた額）を審査支払機関に請求する。審査支払機関は、保険医療機関からの請求を審査した上で保険者に請求し、保険医療機関に診療報酬を支払う。保険者は審査支払機関に請求金額を支払う。なお、業務上の傷病に対しては労働者災害補償保険と公務員に対する保障制度が対応する。

参照：本編 229 ～ 240 頁（第４編第２章　1.医療保険制度、
2.医療保険制度のあゆみ、3.医療保険各制度の概要と現状、4.診療報酬）

4-12　医療保険の加入者

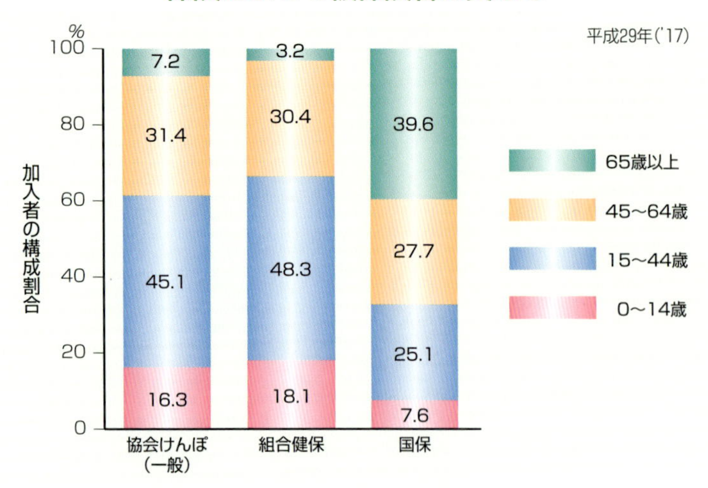

資料　厚生労働省「健康保険・船員保険被保険者実態調査」「国民健康保険実態調査」
注　　協会けんぽおよび組合健保は各年 10 月 1 日の被保険者と被扶養者の合計、国保は各年 9 月 30 日の市町村と組合の合計である。いずれも後期高齢者医療制度の対象者は含まれていない。

わが国の医療保険制度の違いは被保険者の違いからみると理解しやすい。後期高齢者医療は原則として 75 歳以上の高齢者、**被用者保険**は事業所に雇用される 75 歳未満の者、国民健康保険は後期高齢者医療の被保険者でも被用者保険の加入者（被保険者とその被扶養者）でもない者がそれぞれ被保険者である。

被用者保険は全国健康保険協会が保険者である全国健康保険協会管掌健康保険（**協会けんぽ**）と各健康保険組合が保険者である組合管掌健康保険（組合健保）があり、これに、船員保険、共済組合（国家公務員共済組合、地方公務員等共済組合、私立学校教職員共済組合）が加わる。**国民健康保険（国保）**の保険者は都道府県、市町村および特定の職業団体が設立する国保組合である。平成 29 年 3 月末の医療保険加入者（被保険者と被扶養者）は、国保 26.1 %、被用者保険 60.6%（協会けんぽ 30.2 %、組合健保 23.4 %、共済組合 6.9%、船員保険 0.1%）、後期高齢者医療 13.3 %である。協会けんぽと組合健保は若人の割合が高く、国保は被用者が定年などで退職後に国保に加入する等の理由によって高齢者の割合が高い。この傾向は過去から続いているが、国民健康保険では、人口の高齢化を上回るスピードで加入者の高齢化が進んでいる。

参照：本編 229 ～ 238 頁（第 4 編第 2 章　1.医療保険制度、2.医療保険制度のあゆみ、3.医療保険各制度の概要と現状）

4-13　医療保険制度のあゆみ

医療保険制度改正は超高齢社会に備えて

昭和36年(1961)	国民皆保険の実現	平成12年(2000)	介護保険法施行
43 ('68)	国民健康保険の7割給付完全実施	13 ('01)	老人の一部負担に上限付き定率1割負担導入、高額療養費自己負担限度額の見直し
48 ('73)	老人医療の無料化、被扶養者の7割給付、高額療養費制度の新設	14 ('02)	3歳未満の乳幼児・一定以上所得の高齢者の2割負担、老人医療受給対象者の年齢を引き上げ
56 ('81)	被扶養者の入院8割給付	15 ('03)	被用者保険における総報酬制導入
58 ('83)	老人保健拠出金の導入、老人医療に定額の一部負担導入	18 ('06)	現役並み所得の70歳以上高齢者の3割負担
59 ('84)	被保険者の定率（1割）負担の導入	20 ('08)	後期高齢者医療制度の創設、未就学児の2割負担
62 ('87)	老人保健施設の創設	30 ('18)	都道府県が国保財政運営の主体となる
平成4 ('92)	老人訪問看護制度の創設	令和元 ('19)	健康保険法改正（被保険者番号の電子資格確認等）
6 ('94)	訪問看護療養費・入院時食事療養費の創設		
9 ('97)	被用者保険本人の2割負担、外来薬剤一部負担の導入		
11 ('99)	老人の薬剤一部負担に係る臨時特例措置		

わが国の医療保険制度は大正 11 年に制定された健康保険法からあゆみはじめた。国民皆保険体制は昭和 32 年度から 4 カ年計画で推進され、36 年に実現した。その後、56 年頃までは患者負担の軽減を図る制度改正が主であったが、58 年の老人保健法施行による定額の一部負担金導入以後は、急増する医療費や人口高齢化への対応を目的とした制度改正が中心となった。

平成 14 年には、老人医療受給対象者が 70 歳以上の者から 75 歳以上の者に改められ、老人医療の一部負担は 1 割、現役並み所得者は 2 割（18 年 10 月から 3 割）となった。20 年から 70 ～ 74 歳の高齢者の患者負担の見直し（1 割から 2 割）、乳幼児の患者負担軽減措置（2 割）を義務教育就学前まで拡大、新たな高齢者医療制度の創設（**高齢者の医療の確保に関する法律**）などが行われた。

近年、保険財政運営の規模の適正化、地域の医療費水準に見合った保険料水準の設定のため、保険者について都道府県単位を軸とした再編・統合が行われた。国民健康保険制度については、平成 27 年度から国保への財政支援の拡充等による財政基盤の強化とともに、30 年度から都道府県が国保の財政運営の主体となった。

参照：本編 229 ～ 232 頁（第 4 編第 2 章　1.医療保険制度、
2.医療保険制度のあゆみ）

公費と現役世代が支える後期高齢者医療制度

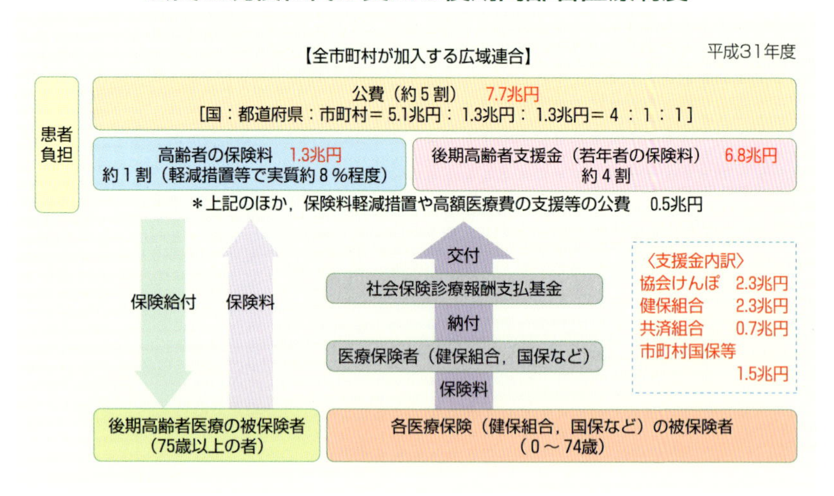

平成20年4月から75歳以上の者（65～74歳で一定の障害の状態にあり広域連合の認定を受けた者を含む）に対する医療は**高齢者の医療の確保に関する法律**に基づいて提供されている。運営主体は都道府県単位ですべての市町村が加入する**後期高齢者医療広域連合**であり、保険料の決定や医療の給付を行う。患者負担分を除く医療給付の財源は保険料が1割（軽減措置等で実質約8％程度）、現役世代からの保険料による後期高齢者支援金が約4割、公費が約5割となっている。

保険料は被保険者1人ひとりに課せられ、低所得者に対しては所得に応じた軽減措置、被用者保険の被扶養者であった者に対しては資格取得後2年間に限り被保険者均等割額の5割軽減措置が講じられる。

後期高齢者医療の医療給付の内容は被用者保険や国民健康保険と同様である。医療費自己負担は1割（現役並み所得者は3割）で、月ごとの上限額が設けられている。

参照：本編230～238頁（第4編第2章　2.医療保険制度のあゆみ、
3.医療保険各制度の概要と現状）

4-15　公費医療制度

生活保護費の約半分が医療扶助費

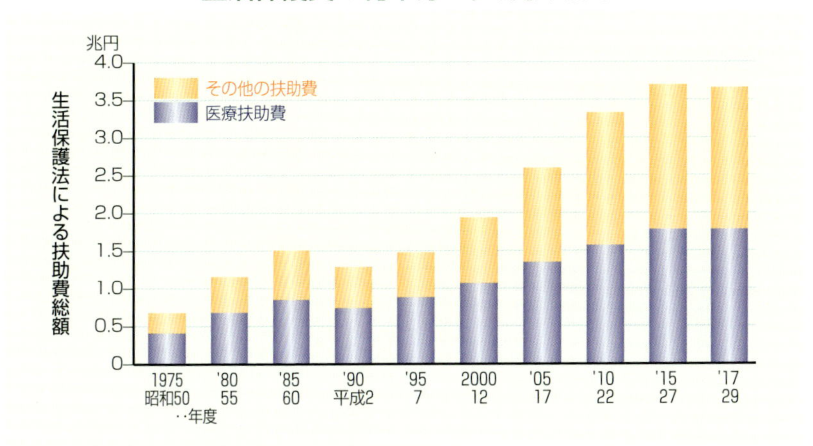

資料　厚生労働省「生活保護費負担金事業実績報告」

公費医療制度には、障害者総合支援法、生活保護法、母子保健法、精神保健福祉法、感染症法、難病法などの法律に基づくものと、特定疾患治療研究事業および肝炎治療特別推進事業の予算的措置によるものがある。**生活保護法**による給付は 8 扶助（生活、教育、住宅、医療、介護、出産、生業、葬祭）からなる。被保護実人員は昭和 59 年度まで増加傾向を示した後に減少傾向となったが、平成 6 年度以降は再び増加に転じている。生活保護開始理由としての世帯主の傷病は 7 年では 78.1 %（生活保護開始世帯数に占める割合）であったが、29 年は 24.9 %まで低下した。

医療扶助は、傷病などにより治療が必要な場合に給付され、平成 29 年度の医療扶助費 1 兆 7810 億円は扶助費総額の 48.6 %と大きな比重を占めている。また、29 年度の医療扶助人員（1 カ月平均）は 176 万 5 千人と被保護実人員（1 カ月平均）212 万 5 千人の 83.1 %を占めている。医療扶助人員の状況は入院と入院外で大きく異なる。入院は 12 年の 13 万 3 千人から減少傾向であり、29 年は 11 万 2 千人と 15.3% 低下した。入院外は 7 年の 55 万 6 千人から増加傾向であり、29 年の 165 万人と 3 倍弱の増加であった。

参照：本編 11 ～ 12 頁、16 ～ 23 頁（第 1 編第 1 章　1.1］少子高齢化と国民生活　3］わが国の社会保障の動向　4］保健医療を取り巻く社会保障の各分野の動向）、240 ～ 241 頁(第 4 編第 2 章　5.公費医療）

4-16　医療費と介護保険の統計

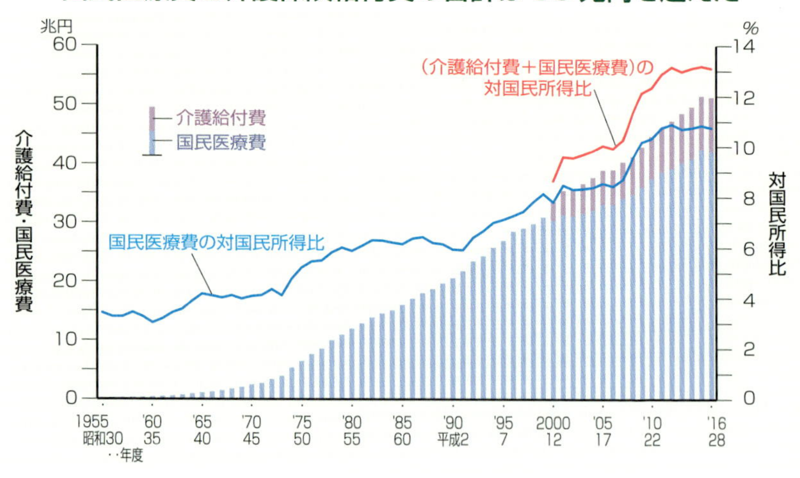

資料　厚生労働省「国民医療費」、「介護保険事業状況報告」

国民医療費とは、医療機関などにおける傷病の治療に要する費用を推計したものである。わが国の定義では、正常な妊娠や分娩、健康の維持・増進を目的とした健康診断・予防接種、固定した身体障害のために必要な義眼や義肢などの費用は含まれない。また、患者が負担する入院時室料差額分、歯科差額分などの費用は計上されていない。さらに、平成 12 年 4 月から施行された介護保険制度の費用も含まれていない。

平成 28 年度の国民医療費総額は 42 兆 1381 億円、国民所得に対する比は 10.8 %であった。制度区分別では公費負担医療給付分 7.5 %、医療保険等給付分 46.4 %、後期高齢者医療給付分 33.6 %、患者等負担分 12.2 %であった。財源区分別では公費 38.6 %（国 25.4 %、地方 13.2 %）、保険料 49.1 %（事業主 20.8 %、被保険者 28.3 %）、患者負担分 11.5 %であった。

国民医療費は推計が開始された昭和 29 年以降増加傾向が持続している。国民医療費の国民所得に対する比率も 30 年代の 3 %台から上昇傾向が持続しており、平成 21 年に 10 %を超えた。介護保険の給付費（利用者負担除く）は 12 年度の 3 兆 2427 億円（高額介護サービス費を含む）から 28 年度の 9 兆 2290 億円と施行後から 2.8 倍以上増加した。28 年度の国民医療費と介護保険給付費の合計は 51 兆 3671 億円であり、国民所得に対する比は 13.1 %である。

参照：本編 241 ～ 245 頁（第 4 編第 2 章　6.国民医療費）、257 頁（第 5 編第 1 章　3.介護保険制度創設からの推移）

4-17　傷病分類別医科診療医療費

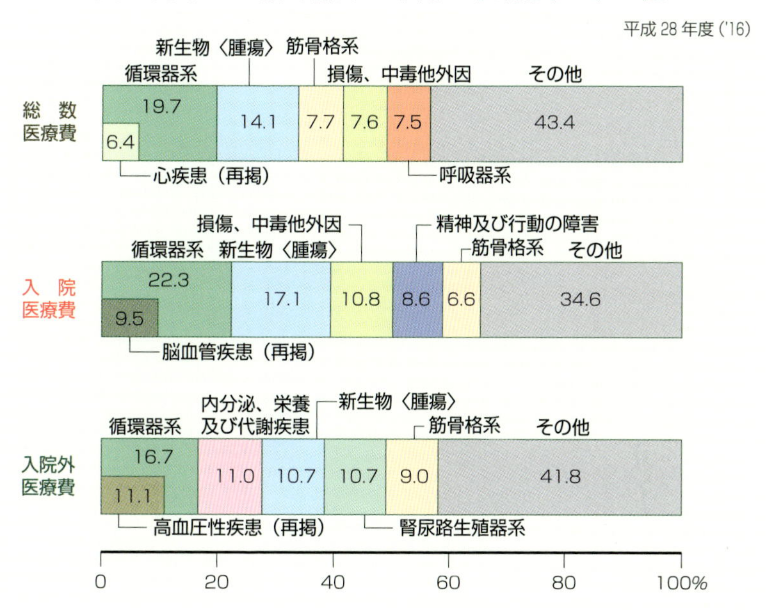

資料　厚生労働省「国民医療費」

平成28年度の**国民医療費**を診療種類別にみると、医科診療71.6％（入院37.5％、入院外34.2％)、歯科診療6.8％、薬局調剤18.0％、入院時食事・生活医療費1.9％、訪問看護0.4％等である。

傷病大分類別（主傷病による）**の医科診療医療費**（総数）では、「循環器系の疾患」が最も大きく、以下、「新生物〈腫瘍〉」「筋骨格系及び結合組織の疾患」「損傷，中毒及びその他の外因の影響」「呼吸器系の疾患」の順になっている。入院･入院外に分けた場合でも「循環器系の疾患」が最も大きい。なお、入院外で第2位の「内分泌、栄養及び代謝疾患」の中では糖尿病が6割弱を占め、第4位の「腎尿路生殖器系の疾患」の中では糸球体疾患，腎尿細管間質性疾患及び腎不全が約4分の3を占めている。年齢階級別（総数）では、0～14歳で「呼吸器系の疾患」、15～44歳で「精神及び行動の障害」、45～64歳で「新生物〈腫瘍〉」、65歳以上で「循環器系の疾患」と年齢による違いが存在する。

参照:本編241～245頁（第4編第2章　6.国民医療費）、472頁（第67表）

5-1　介護保険─制度の概要

介護保険の給付財源は保険料と公費がそれぞれ５割

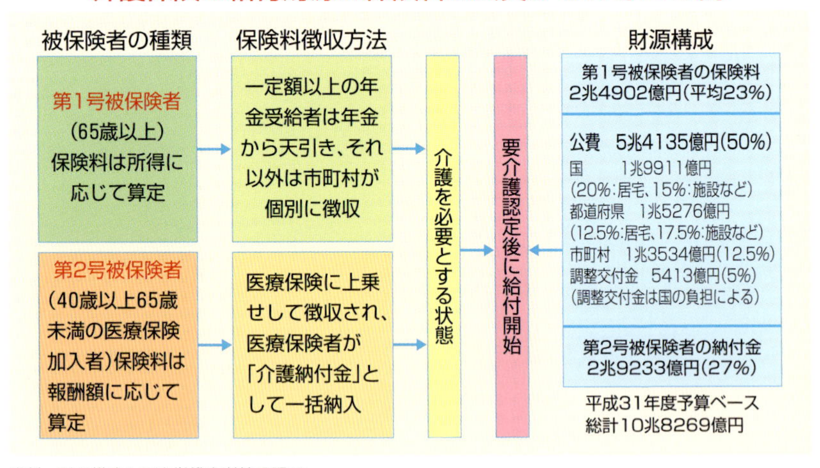

資料　財源構成：厚生労働省老健局調べ
注　第２号被保険者は、介護保険法で定める特定疾病に起因して、要介護状態または要支援状態にあると判断された場合に給付が行われる。

介護保険制度は平成 12 年 4 月 1 日から施行された。その背景には、高齢化による要介護者の増大、核家族化の進展などによる家族の介護基盤の弱体化、介護費用に対応する財源確保の必要性などがあった。介護保険制度の趣旨は、**介護に対する社会的支援、自立支援、利用者本位とサービスの総合化、社会保険方式**であり、社会全体で介護を支え、保健・医療・福祉にわたる総合的なサービスを利用可能にするものである。介護保険制度の保険者は市町村（特別区を含む）である。被保険者は 65 歳以上の**第 1 号被保険者**と 40 ～ 64 歳の**第 2 号被保険者**であり、それぞれ保険料の算定および徴収方法が異なっている。給付財源は保険料と公費がそれぞれ 5 割である。国費の 5 %分は市町村間の財政力の格差の調整のために充てられることとなっている。31 年度の介護保険給付費見込額は 10 兆 8269 億円である。

介護保険制度は定期的に見直しが行われている。平成 30 年度には医療と介護の複合的ニーズに対応する目的で介護医療院が創設された。介護医療院は、介護療養病床（療養機能強化型）相当のサービス（Ⅰ型）と、老人保健施設相当以上のサービス（Ⅱ型）の 2 つのサービスが提供されるよう、人員・設備・運営基準等が定められた。

参照：本編 247 ～ 259 頁（第５編　介護保険）

5-2　介護保険ー申請からサービスを受けるまで

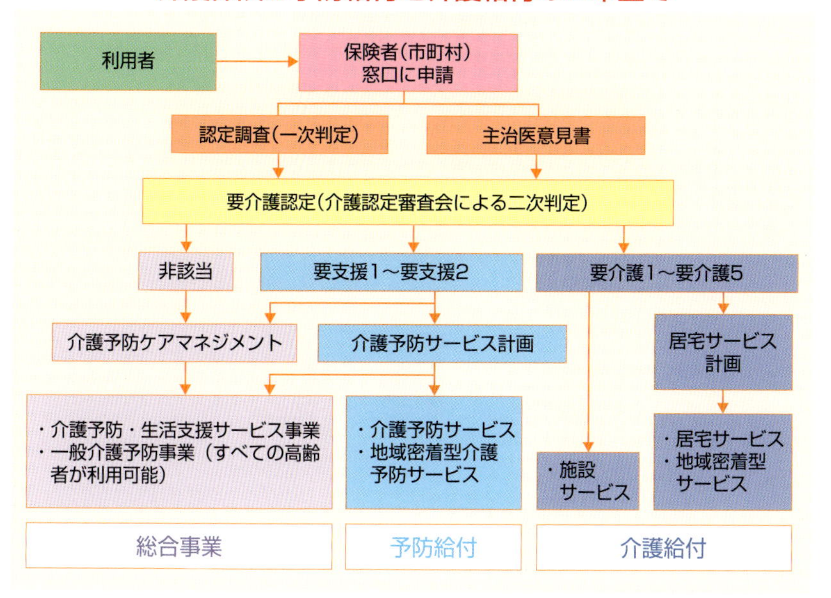

介護保険からの給付は市町村が設置する介護認定審査会が行う要介護認定の結果に応じて限度額が設定される（第２号被保険者は介護保険法に定める**特定疾病**に起因する場合に限定)。利用者は費用の１割（所得によって２割または３割）を負担してサービスを受ける法定代理受領方式による現物給付が基本である。

要介護者には在宅・施設両面にわたるサービスが給付される。給付対象となるサービスの種類は予防給付と介護給付に大別される。介護給付には居宅サービス、施設サービス、地域密着型サービスなどがある。要支援１・２の者には予防給付（居宅サービスと同様の介護予防サービス）が支給される。明らかに介護予防・生活支援サービス事業の対象外と判断できる場合や、**要介護認定**で非該当となった者は各市町村が実施する地域支援事業(総合事業、包括的支援事業、任意事業）の対象になる。

参照：本編 248 ～ 256 頁（第５編第１章　2.介護保険制度の概要)

5-3　介護を必要とする者の割合

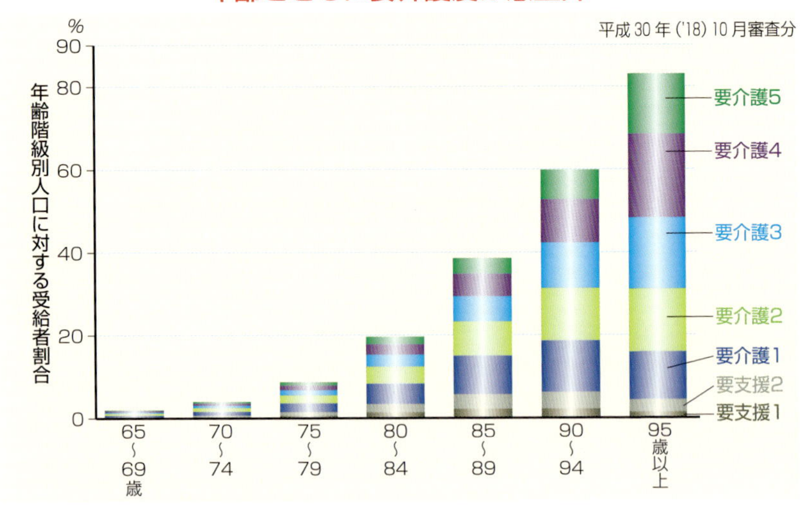

資料　厚生労働省「介護給付費等実態統計月報（概況）」
　　　総務省統計局「人口推計（平成 30 年 10 月 1 日現在）」

介護給付費等実態統計（旧：介護給付費等実態調査）月報によると、平成 30 年 10 月審査分の受給者総数は 509 万人（介護予防サービス 73 万人、介護サービス 436 万人）であった。給付費用額（利用者負担額を含む）の総計は 8319 億円であり、介護予防サービスは 202 億円（うち、介護予防居宅サービスが 160 億円（79.2 %））、介護サービスは 8184 億円（うち、居宅サービス 3555 億円（43.4 %）、施設サービス 2805 億円（34.3 %））であった。

平成 30 年 10 月 1 日時点の 65 歳以上の者の総人口に対する受給者の割合を年齢階級別に図に示す。65 歳以上の者全体の受給者の割合は 14.0 %であった。年齢階級別では 65 ～ 69 歳から 85 ～ 89 歳までは 5 歳年齢が高くなるにつれて、約 2 倍の割合で受給者の割合が増加していた。それ以後も増加傾向は継続しており、95 歳以上では人口の 82.9 %が介護保険の受給者であった。65 ～ 74 歳と 90 ～ 94 歳では要介護 2、75 ～ 89 歳では要介護 1、95 歳以上では要介護 4 の者の割合が最も高かった。受給者に占める要介護 3 ～ 5 の者の占める割合は 80 ～ 84 歳を底とした J 型の推移が認められた。

参照：本編 247 ～ 259 頁（第 5 編　介護保険）

5-4　地域包括ケアシステム

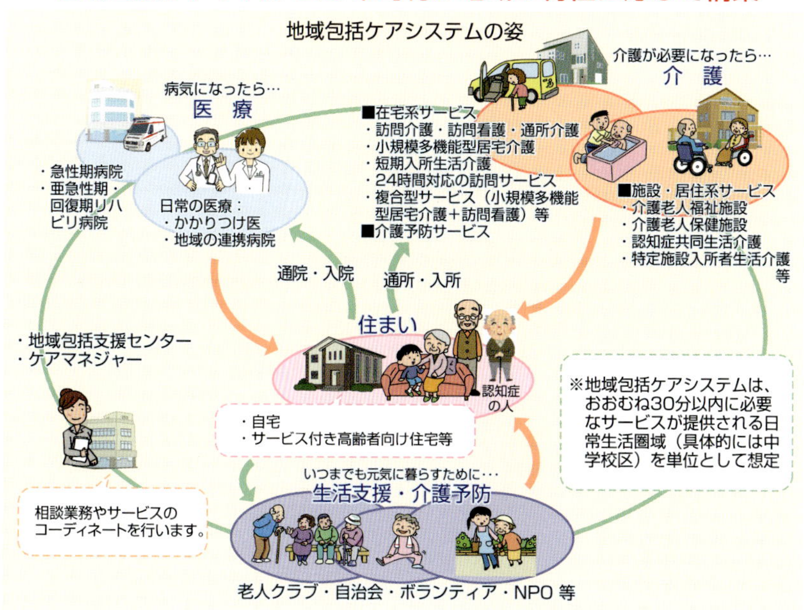

資料　厚生労働省ホームページ

平成 30 年の総人口に占める 65 歳以上の高齢者割合 28.1 %は過去最高であり、今後も上昇が予測されていることから、医療や介護の需要の急増が予測されている。

厚生労働省は、団塊の世代（昭和 22 ～ 24 年生まれ、約 800 万人）が 75 歳以上となる 2025 年（令和 7 年）を目途に、地域包括ケアシステムの構築を進めている。2025 年時点の高齢化の状況は、総人口が横ばいだが 75 歳以上人口が急増する大都市部、総人口は減少するが 75 歳以上人口は緩やかに増加する町村部のような地域差があると予測されている。そのため、地域包括システムは、保険者である市町村や都道府県が地域の特性に応じて構築することが重要であり、関係機関が連携し、多職種協働により在宅医療・介護を一体的に提供できる体制を構築するための取り組みが推進されている。

参照：本編 11 ～ 12 頁（第 1 編第 1 章　1.1〕少子高齢化と国民生活）、192 ～ 194 頁（第 4 編第 1 章　1.3〕在宅医療の推進、4〕訪問看護）、247 ～ 259 頁（第 5 編 介護保険）

医薬分業の推進

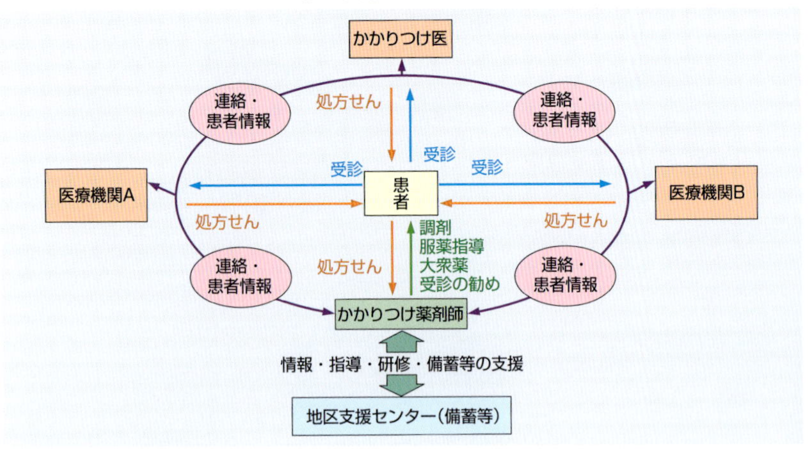

患者へ薬を提供する際、その処方せんを医療機関が発行し、薬局が処方監査して調剤を行う**医薬分業**、特に地域全体で医薬分業を行う**面分業**が推進されている。医薬分業には、薬剤師が重複投薬、相互作用の有無を確認し、服薬指導を行うことにより患者の医薬品に対する理解が深まり、薬物療法の有効性・安全性が向上することなどが期待されている。

処方せん受取率（外来処方せん件数に対する薬局への処方せん枚数［応需割合］）は 74.0％（平成 30 年度）であり、最高県は 88.2％、最低県は 52.0％である。厚生労働省は 27 年 10 月に、現在の薬局を患者本位のかかりつけ薬局に再編するため、「患者のための薬局ビジョン」を公表した。さらに、積極的に地域住民の健康の維持・増進を支援するため、健康サポート薬局の公表制度が 28 年 10 月から始まっている。

医薬品開発は多大な時間と経費を要する。先端的・基盤的技術に関する研究事業だけでなく、難病など患者が少ない疾病の医薬品（**オーファンドラッグ**）に対する助成金の交付などの開発促進対策も実施されている。

医薬品を適正に使用して生じた**副作用被害**で、第三者にその賠償責任を追及できない健康被害に対し、医薬品医療機器総合機構（平成 16 年発足）は各種の救済給付により、患者や家族の救済を図っている。非加熱血液製剤による HIV 感染者の被害救済事業（5 年に調査研究事業開始、8 年から発症者健康管理手当を支給）、生物由来製品感染等被害救済制度（16 年創設）、特定フィブリノゲン製剤等による C 型肝炎感染被害者救済制度（20 年施行）なども運用されている。

参照：本編 261 ～ 268 頁（第 6 編第 1 章　薬事対策の動向）

6-2　薬局と医薬品販売業

改正薬事法施行：第一類から第三類医薬品の指定

薬局と医薬品販売業

平成21年6月から

	調剤の可否	販売する医薬品の品目	販売方法	分割販売の可否
薬局	可	すべての医薬品	店舗販売	可
店舗販売業	否	一般用医薬品 （販売に従事する者等によっては第二類医薬品および第三類医薬品）	店舗販売	可 （管理者が薬剤師である場合）
配置販売業	否	厚生労働大臣の定める基準に適合する一般用医薬品 （販売に従事する者等によっては第二類医薬品および第三類医薬品）	配置販売	否
卸売販売業	否	すべての医薬品	規定なし	可

一般用医薬品の分類と情報提供の比較

平成21年6月から

	対応する専門家	質問がなくても販売時に行う情報提供	相談を受けて対応する場合の情報提供
第一類医薬品 （特にリスクの高い医薬品） H_2ブロッカー含有薬など	薬剤師	文書での情報提供を義務づけ	
第二類医薬品 （リスクが比較的高い医薬品） 主なかぜ薬、解熱鎮痛薬、漢方薬　など	薬剤師または登録販売者	努力義務	義務
第三類医薬品 （リスクが比較的低い医薬品） ビタミンC含有保健薬　など		（薬事法上の定めなし）	

医薬品、医薬部外品、化粧品、医療機器の製造・輸入は品質、有効性と安全性の確保のために**医薬品、医療機器等の品質、有効性及び安全性の確保等に関する法律**（**薬機法**）で規制される。薬局は平成18年の医療法等の改正により医療提供施設とされた。21年6月に改正薬事法（現薬機法）が施行され、医薬品を販売できる業態は、薬局、店舗販売業、配置販売業、卸売販売業となった。**薬局**は「薬剤師が販売又は授与の目的で調剤の業務を行う場所」とされ、営業時間中は薬剤師が常駐し、医療用医薬品の調剤の他、一般用医薬品等も販売できる。**店舗販売業**と**配置販売業**では一般用医薬品以外の医薬品は販売できない。**卸売販売業**は薬局開設者などに対してのみ、医薬品の販売を行う。一般用医薬品はリスクの高い順に**第一類医薬品**（薬剤師が対応）、**第二類・第三類医薬品**（薬剤師または**登録販売者**が対応）に分類され、それぞれに応じた情報提供などの方法が定められた。26年6月改正薬事法が施行され、医療用と一般用の間に**要指導医薬品**の区分が追加され、医療用医薬品と同様に、販売や授与にあたり薬剤師が必要な薬学的知見に基づき指導を行うこととされた。インターネット販売は、一般用医薬品についてのみ安全性を確保した上で可能となり、厚生労働省のホームページに販売サイトの一覧を掲載するなどの取り組みが行われている。

参照：本編 262 ~ 263 頁（第6編第1章　3. 薬局と医薬品販売業）

薬の副作用の緊急安全性情報が出るまで

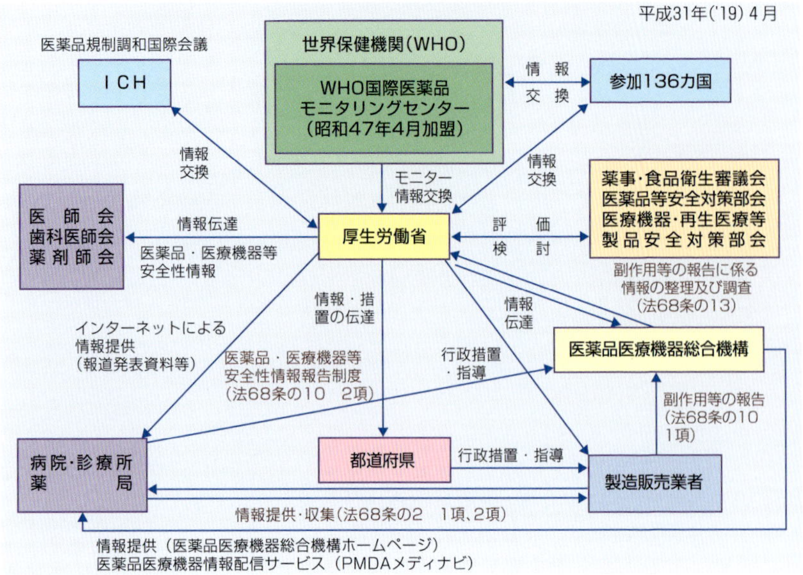

平成31年('19) 4月

医薬品規制調和国際会議
ＩＣＨ
世界保健機関（WHO）
WHO国際医薬品
モニタリングセンター
（昭和47年4月加盟）
情報
交換
参加136カ国
情報
交換
情報
交換
モニター
情報交換
薬事・食品衛生審議会
医薬品等安全対策部会
医療機器・再生医療等
製品安全対策部会
医師会
歯科医師会
薬剤師会
情報伝達
医薬品・医療機器等
安全性情報
厚生労働省
評価
検討
副作用等の報告に係る
情報の整理及び調査
（法68条の13）
情報・措
置の伝達
情報
伝達
インターネットによる
情報提供
（報道発表資料等）
医薬品・医療機器等
安全性情報報告制度
（法68条の10　2項）
行政措置
・指導
医薬品医療機器総合機構
副作用等の報告
（法68条の10
1項）
病院・診療所
薬局
都道府県
行政措置・指導
製造販売業者
情報提供・収集（法68条の2　1項、2項）
情報提供（医薬品医療機器総合機構ホームページ）
医薬品医療機器情報配信サービス（PMDAメディナビ）

注　「法」とは薬機法である。

医薬品等の安全性は、承認前に動物実験、臨床試験などで厳格に審査される。市販後に広く使用されてから明らかになる**副作用情報**は、医療機関と薬局からの医薬品・医療機器等安全性情報報告制度と、製造業者から医薬品医療機器総合機構（PMDA）への報告によって収集される。承認後一定期間は、副作用を含めて使用成績が調査される。副作用情報は評価を経て、承認事項（効能・効果、用量・用法、使用上の注意など）の変更、臨床試験や動物実験の実施、製造・販売の中止などの措置がとられる。収集された重要な副作用情報については医療関係者に「医薬品・医療機器等安全性情報」として逐次送付され、特に緊急を要する情報は厚生労働省が該当企業に**緊急安全性情報**（**イエローレター**）、**安全性速報**（**ブルーレター**）の配布を指示している。同機構は「医薬品医療機器情報提供ホームページ」や「PMDA メディナビ」によるメール配信などで情報を提供している。

また、インターネット販売に係る新たな制度が平成 26 年 6 月に施行された。それに伴い違法な医薬品販売の増加が懸念されるため、厚生労働省は 26 年度よりインターネットパトロール事業により、国内外の医薬品販売サイトの監視を強化し、あやしいヤクブツ連絡ネット事業により国民からの情報収集と啓発活動を行っている。

参照：本編 275 ～ 280 頁（第 6 編第 3 章　医薬品等の安全性と有効性の確保）

献血の推進と適正使用のすすめ

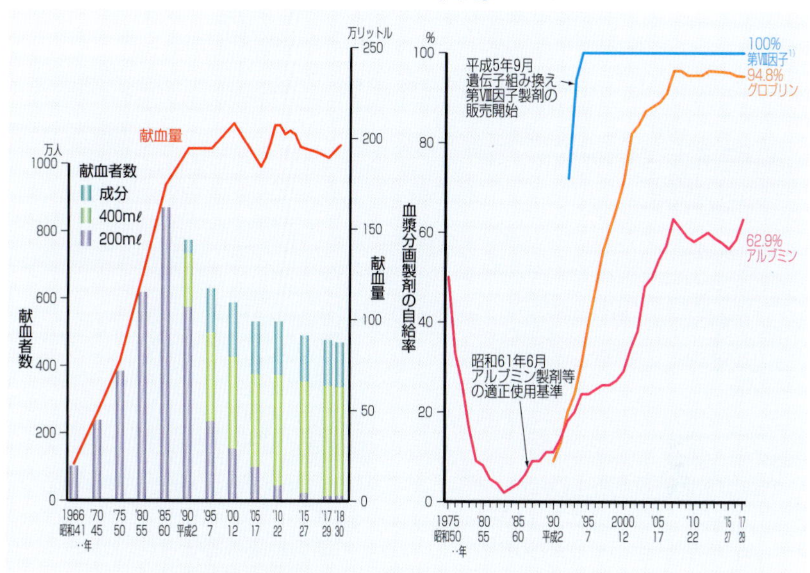

資料　日本赤十字社「数値で見る血液事業」、厚生労働省医薬・生活衛生局調べ
注　　右図　1）遺伝子組み換え製剤を含まない。
　　　　　　2）平成 10 年以降は年度である。

血液事業は国内自給の推進、安全性確保、適正使用、有効利用、透明性確保を目指す。200mℓ・400mℓ献血と成分献血が推進され、平成 11 年に 16 ～ 64 歳からの**献血可能年齢**（血小板採血を除く）は 69 歳に延長された。献血者と献血量は 30 年約 471 万人（前年より 7 万人減）、約 196 万リットル（前年より 8 万リットル増加）である。輸血用血液製剤と大半の血漿分画製剤は献血で確保されるが、アルブミンは自給率が低い。19 年をピークに漸減傾向にあったが、29 年は 62.9 %（前年 58.4 %）に増加した。22 年には薬事食品衛生審議会のもと献血推進調査会が設置され、26 年 12 月には 27 年度から令和 2 年度までの 6 年間を目標とする新たな中期目標、献血推進 2020 が策定された。

新鮮凍結血漿、アルブミン製剤の使用量は欧米諸国より多く、地域差が著しい。このため、昭和 61 年に**血液製剤**の使用適正化基準、平成元年に輸血療法の適正化に関するガイドライン、11 年には**血液製剤の使用指針**および**輸血療法の実施に関する指針**が公表（24 年改定）され、医療機関における血液製剤使用の適正化が図られている。

参照：本編 284 ～ 286 頁（第 6 編第 4 章　1.血液製剤）

血液製剤による感染症の防止

ウイルス種	ウインドウ期(平均期間)		
	抗原・抗体検査	20プールNAT	個別NAT
HIV（ヒト免疫不全ウイルス）	約19日	約13.5日	約5日
HBV（B型肝炎ウイルス）	約36日	約44日	約21日
HCV（C型肝炎ウイルス）	約65日	約24.5日	約3～5日

資料　厚生労働省医薬・生活衛生局調べ
注　この日数は、感染者の状態など、様々な要因によりある程度変動する。また HIV の「(感染性) ウインドウ期」とは、血液が感染性を持つようになるウイルス血症（感染後 1 カ月以内）が起こった時点後の日数であり、感染時からの日数ではない。

輸血による感染症防止のため、梅毒、B 型肝炎（HBs 抗原、HBc 抗体)、成人 T 細胞白血病（ATL 抗体)、C 型肝炎（HCV 抗体)、エイズ（HIV-1，2 抗体)、HTLV-1 抗原検査、ヒトパルボウイルス B19 抗原の検査が実施されている。**ウインドウ・ピリオド**（感染初期で抗原検査が陽性にならない期間）対策として、輸血用血液製剤や製造輸入される血液製剤の HBV,HCV,HIV に**核酸増幅検査（NAT）**が義務とされている。輸血による**移植片対宿主病**（GVHD）の予防には、要請に応じて放射線照射が行われる。

平成 9 年度以降は血液製剤等による感染症発生などの報告義務を製薬メーカーが負っている。14 年度からウエストナイル熱を含む輸入感染症対策として、帰国（全外国から） 4 週間以内の者は献血はできない。欧州の牛海綿状脳症発生国の拡大を踏まえ、EU 諸国に通算 6 カ月以上滞在していた者、17 年 2 月の国内初の**変異型クロイツフェルト・ヤコブ病**患者発生を踏まえ、昭和 55 年から一定期間英国に滞在した者 (平成 17 年 1 月以降は制限無し)、**ヒト胎盤エキス（プラセンタ）**注射使用者、中南米滞在歴（**シャーガス病**対策として 24 年 10 月以降）等がある場合、製造制限を設ける等の対策を講じている。「血液製剤の使用指針」「輸血療法の実施に関する指針」「血小板製剤の適正使用について」は適宜改訂され、17 年には献血者に遡って調査できるよう、血液製剤等にかかる遡及調査ガイドラインが策定された。

血液製剤を介した感染症が発生した場合の報告窓口は、平成 26 年 11 月より**医薬品医療機器総合機構**（PMDA）に移行し、生物由来製品感染等被害救済制度や、医薬品副作用被害救済制度に基づく救済事業の対象となる。

参照：本編 286 ～ 288 頁（第 6 編第 4 章　1.4〕血液製剤等の安全対策
5〕血液製剤に関する研究開発）

6-6　麻薬・覚せい剤等

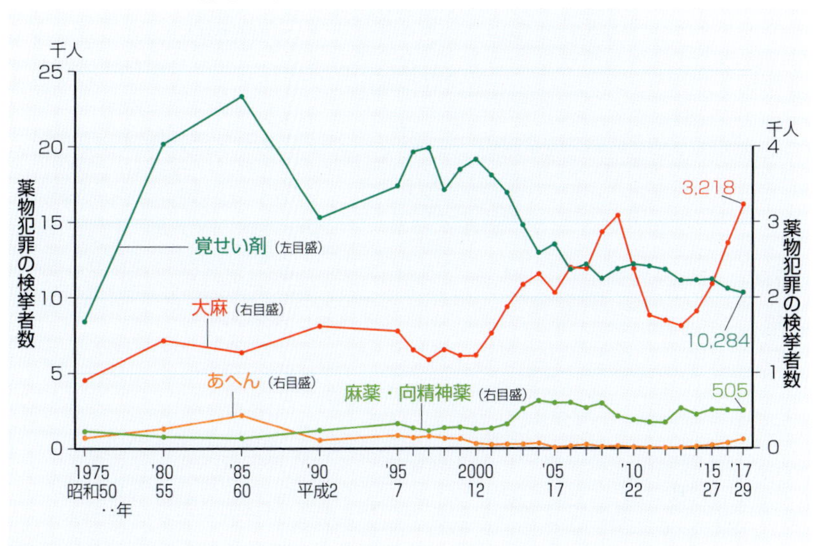

資料　警察庁・厚生労働省・海上保安庁の各資料集計

適正に用いれば医療上有用な麻薬・覚せい剤も、乱用すると個人の心身に重大な危害が生じ、社会的にも大きな弊害となる。薬物乱用は終戦直後の混乱期に発生し、覚せい剤乱用のまん延（昭和20年代後半）と麻薬乱用の大流行（30年代）の大きな波があった。近年は、**危険ドラッグ**の乱用による事件が増え、指定薬物が急増し、平成31年3月末現在2,376物質となった。麻薬及び向精神薬取締法、覚せい剤取締法等に基づき、厳重な取り締まりが行われているが、**外国人事犯の増大**と**若年化の傾向**がみられる。摘発された事犯は29年で1.40万人（前年1.38万人）であり、覚せい剤事犯が1.03万人（前年1.06万人）に微減、大麻事犯が0.32万人（前年0.27万人）と増加した。

麻薬・覚せい剤等薬物は一国のみで乱用を撲滅することは薬物流通の国際性から困難であり、取り締まりに関して国際的な協力が不可欠である。このため、国連の場を中心として「麻薬に関する単一条約」「向精神薬に関する条約」「麻薬及び向精神薬の不正取引の防止に関する国際連合条約」の3つの国際条約を世界のほとんどの国が締結している。

参照：本編288～289頁（第6編第4章　2.麻薬・覚せい剤等）

国民生活を支える水道

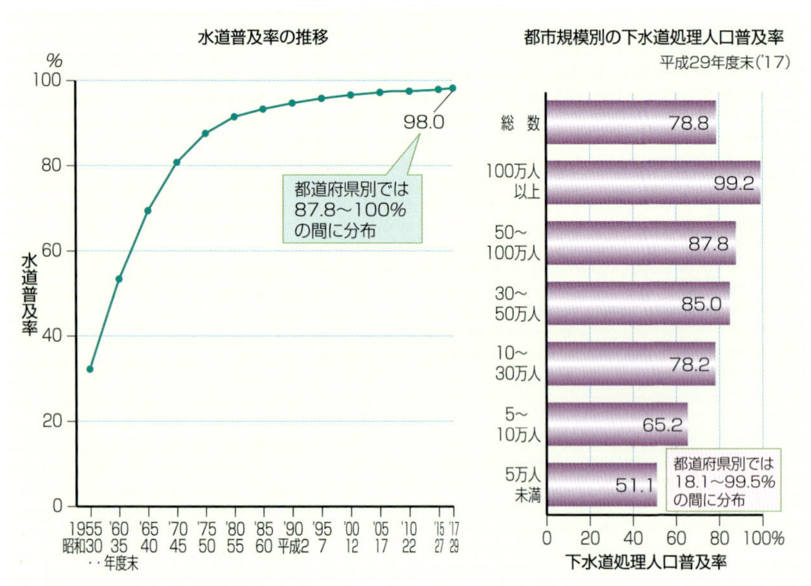

資料　厚生労働省医薬・生活衛生局水道課調べ
注　平成22、27、29年は、福島県の一部の市町村のデータが含まれていない。

資料　国土交通省調べ
注　福島県の一部の町村のデータは含まれていない。

上水道の普及率（給水人口／総人口）は年々上昇し、平成29年度末には98.0%に達している。水道水質の問題は、①水道水源汚染による原水水質、②トリハロメタンなどの消毒副生成物、③**クリプトスポリジウム**などの耐塩素性病原生物、④色、におい、硬度など性状に関する問題に分類される。水道水質管理の基本となる**水道水質基準**は、27年4月に改正された。また、24年4月からは、放射性セシウムに関して、目標値（10Bq/kg）が適用されている。管路の老朽化も、課題となっている。

下水道処理人口普及率は、年々改善し、平成29年度末で78.8%となり、水環境の改善に大きな役割を果たしている。しかし、人口5万人未満の市町村では51.1%と大きく立ち後れ、都道府県間の格差も大きい。また、下水道は、公共用水域の水質保全という観点からも重要な役割を果たしている。

参照：本編292～296頁（第7編第1章　生活環境施設の動向）

7-2　食品安全行政

食品安全行政は省庁連携の下で

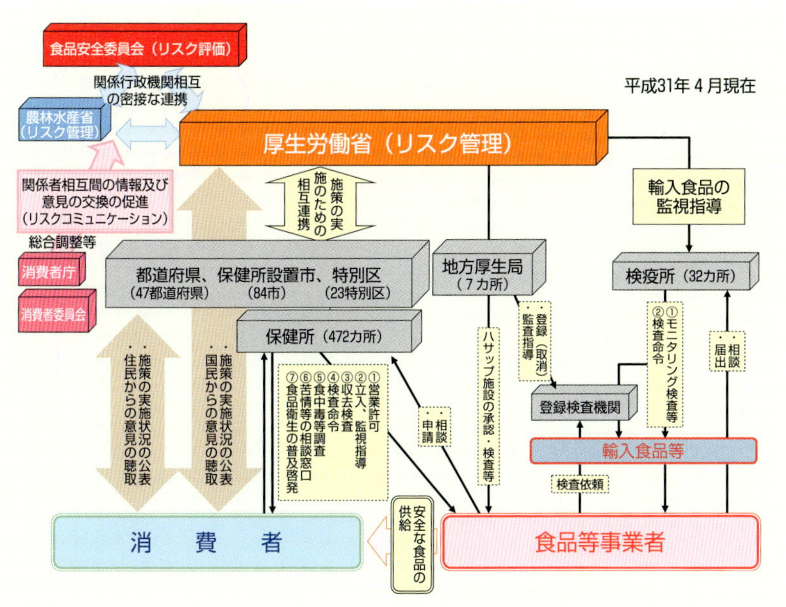

食品安全行政では、**食品衛生法**（昭和 22 年）や**食品安全基本法**（平成 15 年）等に基づき、厚生労働省、食品安全委員会、消費者庁、農林水産省、都道府県、保健所、検疫所など、省庁や機関の連携の下で対策が行われている。

食品安全に関わる課題としては、輸入食品や食品関係営業施設に対する監視指導、食品中の化学物質対策（食品添加物、残留農薬、器具と容器包装など）、放射性物質対策、乳肉衛生、HACCP に沿った衛生管理、遺伝子組換え食品、健康食品対策、食品の表示などがある。

健康食品の有効性や安全性に関わる対策として、保健機能食品制度では、個別許可による**特定保健用食品**と規格基準型の**栄養機能食品**ならびに平成27年に新設された**機能性表示食品**について、機能性の表示が認められている。食品の表示は、21 年に**消費者庁**に移管され、**食品表示法**が 27 年 4 月に施行され、種々の法律の下に定められていた表示の基準が統合された。

参照：本編 297 ～ 314 頁（第 7 編第 2 章　食品安全行政の動向）

7-3　食品安全確保対策

リスク評価・管理・コミュニケーションに基づく食品安全確保

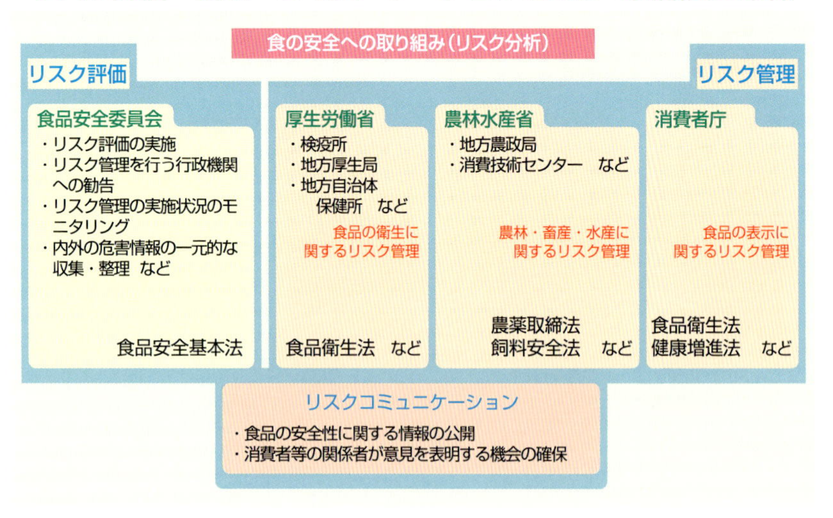

国内初の牛海綿状脳症（BSE）の発生（平成13年）をはじめとする食品安全を巡る様々な問題を契機として、15年に**食品安全基本法**が制定された。それにより、科学的知見に基づく**食品健康影響評価**（**リスク評価**）、評価結果などに基づく施策の実施（**リスク管理**）、評価および施策の実施にあたっての関係者との情報や意見の交換（**リスクコミュニケーション**）の3つの要素からなる**リスク分析**が導入された。

リスク評価機関として平成15年に**食品安全委員会**が内閣府に設置され、リスク管理機関としては、厚生労働省、農林水産省に加えて21年に設立された**消費者庁**が、それぞれ異なる立場から業務を担当している。

このように、第一次生産から消費に至る食品供給のすべての過程におけるリスクの存在を前提とし、科学的知見に基づいて可能な範囲で事故を未然に防ぎ、リスクを最小化する（**リスク分析**）ための体制が強化されてきている。

国際的に公正な食品貿易を推進させるために、食品の国際規格の設定などについては、FAO/WHO合同食品規格計画（**コーデックス委員会**）で、市場開放に関してはWTOで討議されている。

参照：本編297～314頁（第7編第2章　食品安全行政の動向）

7-4　食中毒の発生状況

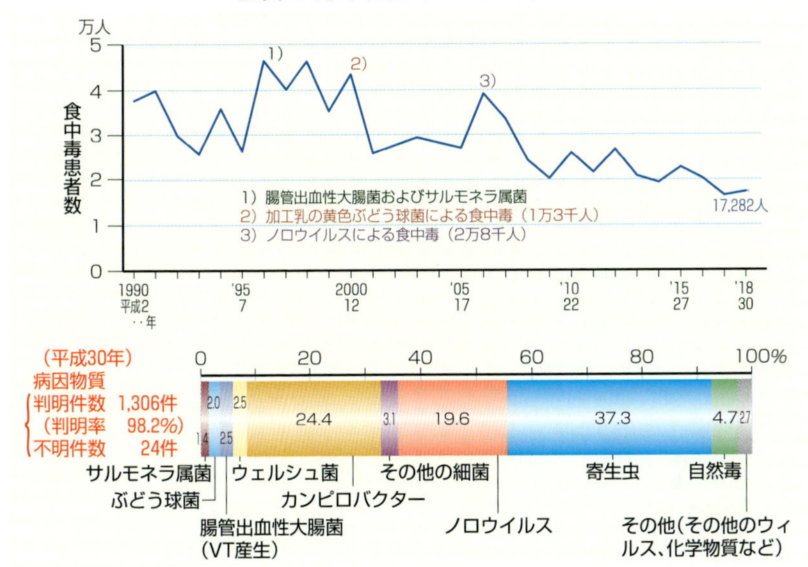

資料　厚生労働省「食中毒統計調査」

食中毒の発生には年次で変動があるが、2000年以降、患者数は2～3万人台で推移している。月別の発生状況では、5月頃から10月頃まで細菌性食中毒が多く発生し、12月頃から冬期を中心にノロウイルスによる食中毒が多く発生している。

平成30年において原因食品が判明した件数は、魚介類37.0％、複合調理品6.9％、肉類及びその加工品5.8％の順である。病因物質では、細菌が35.8％で、**カンピロバクター**が全体の約4分の1を占め、**ノロウイルス**が件数の約2割、患者数の約5割である。腸管出血性大腸菌による食中毒は、事件数32件、患者数456人（死者0人）であった。

原因施設の判明率は85.9％であり、事件数では飲食店、家庭、販売店の順で、患者数では飲食店、仕出屋、事業場（給食施設）の順に多い。

参照：本編305～309頁（第7編第2章　2.9〕食中毒）、432頁（第23表）

7-5　化学物質の安全対策

身の回りの化学物質に対する安全対策

化学物質の安全性に関する問題	原因物質	主な対策
意図せずに合成された化学物質による生活環境の汚染と健康影響	ダイオキシン類等	・ダイオキシン類対策特別措置法 ・特定化学物質の環境への排出量の把握等及び管理の改善の促進に関する法律（PRTR法）
内分泌かく乱化学物質が生殖系などに及ぼす影響	内分泌かく乱化学物質	・内分泌かく乱化学物質の健康影響に関する検討会による行動計画 ・調査研究の推進
室内空気汚染物質の健康影響 「シックハウス問題」	ホルムアルデヒド、トルエン、キシレン等	・シックハウス（室内空気汚染）問題に関する検討会 ・13物質についての室内濃度指針値と採取測定法の策定

身の回りの化学物質による健康影響とその対策も重要な課題である。

第1は、**ダイオキシン類**など意図せずに合成された化学物質による健康影響である。ダイオキシン類の耐容1日摂取量（TDI）は4pgTEQ/kg 体重/日と定められ、それに対して、食品からのダイオキシン類の平均的な摂取量は、0.65pgTEQ/kg 体重 / 日と推定されている（平成 29 年度）。

第2は、微量の化学物質が**内分泌かく乱化学物質**として、生殖系、免疫系、神経系などに重大な障害を与えることである。国際的な動向を含めた総合的な検討により、行動計画や調査研究の推進などの対策が行われている。

第3は、ホルムアルデヒドなど室内空気汚染物質の健康影響である。「**シックハウス問題**」として 13 物質の室内濃度指針値を示し、健康的な住宅確保という面から対策が行われている。

ポリ塩化ビフェニル（PCB）による環境汚染問題を契機として制定された**化学物質審査規制法**等により、既存化学物質を含めた包括的管理制度の導入、流通過程における適切な化学物質管理、国際的動向を踏まえた審査や規制の体系の整備が進められている。

参照：本編 315 ～ 320 頁（第７編第３章　化学物質の安全対策の動向）、
350 ～ 351 頁（第９編第３章　8.ダイオキシン類対策と PCB 対策）

7-6　生活衛生関連行政の概要

「衣食住」の衛生を守る施策と職種

施　策		主要職種	主な法律
「衣」	●衣類に含まれる有害物質の規制	家庭用品衛生監視員	有害物質を含有する家庭用品の規制に関する法律
「食」	●食品、食品添加物、器具、容器包装等の規格基準	食品衛生監視員	食品衛生法
	●食肉製品などの安全確保	と畜検査員 食鳥検査員	と畜場法 食鳥処理の事業の規制及び食鳥検査に関する法律
「住」	●建築物についての環境衛生管理	環境衛生監視員	建築物における衛生的環境の確保に関する法律
社会基盤整備	●水道整備対策	水道法39条に規定する職員	水道法
	●廃棄物処理対策	環境衛生指導員	廃棄物の処理及び清掃に関する法律
生活衛生関係営業に対する指導・監視		環境衛生監視員	生活衛生関係営業の運営の適正化及び振興に関する法律
その他		狂犬病予防員	狂犬病予防法

生活衛生関連行政は、暮らしの安全・安心を確保するために不可欠である。「衣」では、衣類に含まれる有害物質規制などがある。「食」では、食品衛生法に基づく施策、飲食店・喫茶店への指導・監督、食肉や食鳥に関する規制などがある。「住」では、**建築物における衛生的環境の確保に関する法律（建築物衛生法）**により、**建築物環境衛生管理基準**などが定められている。また、衛生上特に配慮を要する興行場、旅館、公衆浴場、理・美容所、クリーニング所に対しては、**生活衛生関係営業の運営の適正化及び振興に関する法律（生衛法）**に基づく指導・監督などがある。

これらの施策には、環境衛生監視員、水道法 39 条職員、食品衛生監視員、と畜検査員、食鳥検査員、狂犬病予防員、家庭用品衛生監視員が関係し、平成 29 年度末、専従者約 2,300 人、兼務者約 2 万 8 千人となっている。

参照：本編 321 ～ 323 頁（第 7 編第 4 章　生活衛生関連行政の動向）、
469 頁（第 64 表）

8-1　労働衛生対策のあゆみ

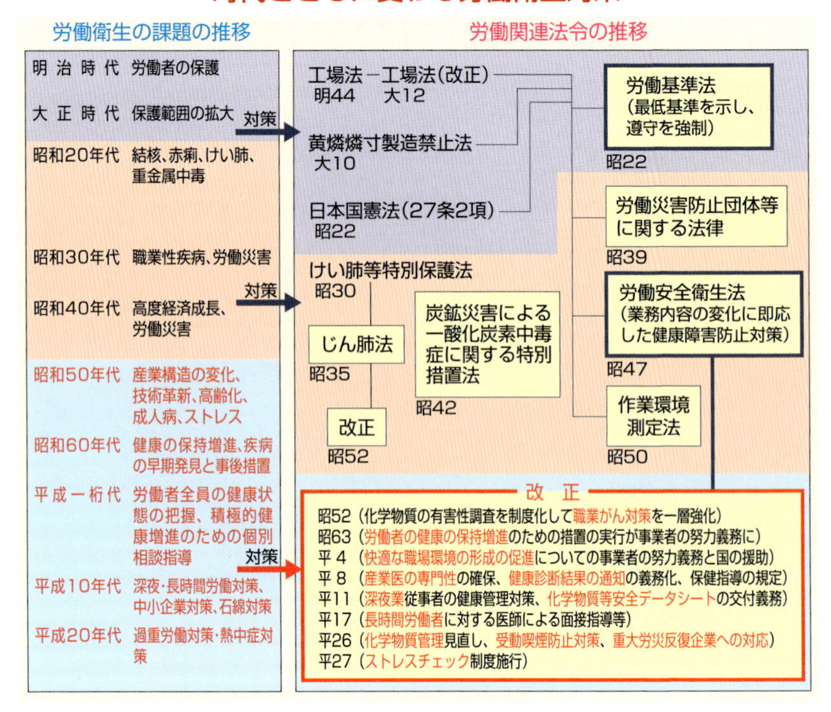

わが国の労災保険適用者数は約 5836 万人（平成 29 年度末）である。労働衛生行政は、業務内容の変化に即応した健康障害防止対策の展開、労働者の健康の保持増進と快適な職場環境の形成への寄与を目的とし、基本的対策、職業性疾病予防対策、化学物質対策、作業関連疾患予防対策、快適職場形成促進、産業保健活動活性化、中小企業対策、研究体制の整備に大別される。**労働安全衛生法**、じん肺法、作業環境測定法、労働者災害補償保険法、労働基準法などに則る。**労働基準法**は、労働者保護のために労働条件の最低基準、すなわち労働契約、賃金、労働時間、休憩・休日・年次有給休暇、年少者や女性の労働、災害補償、男女同一賃金などを規定する（妊産婦や産前産後の就業と育児時間は、母子保健法と男女雇用機会均等法も関係する）。厚生労働省の労働基準局を中心に、第一線の実務は国の直轄機関として各都道府県の労働局と労働基準監督署が担当している。

参照：本編 324 ～ 335 頁 (第 8 編　労働衛生)

職業性疾病は負傷に起因するものが約７割

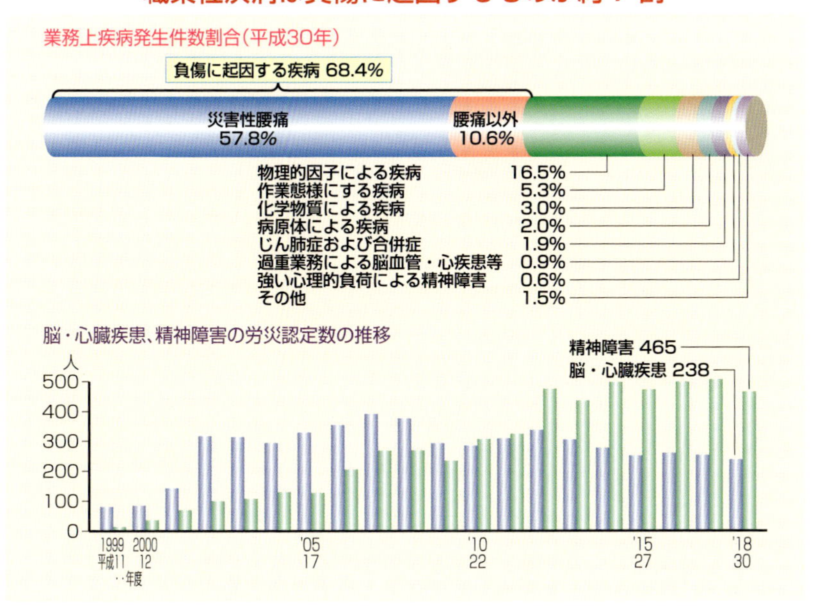

資料　厚生労働省「業務上疾病発生状況等調査」「過労死等の労災補償状況」

職業性疾病は特定職業への従事で発生し、①物理的要因（高気圧障害、職業性難聴など）、②化学的要因（じん肺、有害ガス中毒、有機溶剤中毒、重金属中毒など）、③作業条件（頸肩腕障害、職業性腰痛など）による。**業務上疾病**は労働基準法の用語で、労働者の業務上の負傷・疾病を指し、必要な療養費、休業療養中の賃金の支払いが使用者に義務づけられる。**作業関連疾患**は疾病の発症･増悪に作業態様、作業環境、作業条件などが関わると考えられる疾患の総称である。**労働災害**（業務災害と通勤災害）による死傷者は長期的に減少傾向で、約 12.7 万人、業務上疾病は近年増減を繰り返し 8,684 人である（いずれも平成 30 年、休業 4 日以上）。その 68.4 %が負傷に起因する疾病（そのうち 84.5 %が腰痛）であり、物理的因子による疾病が 16.5 %とそれに次ぐ。**石綿**による肺がんと中皮腫の労災認定件数は 18 年をピークに減少傾向であり、30 年は肺がんが 376 人、中皮腫が 533 人であった。精神障害等の労災認定数は 24 年から激増し、29 年には 506 人と過去最高となったが、30 年は 465 人とやや減少した。

参照：本編 326 ～ 327 頁(第８編第１章　3.労働災害と業務上疾病の発生状況)

体制構築・コミュニケーション、教育、身体の外から内への 3 管理

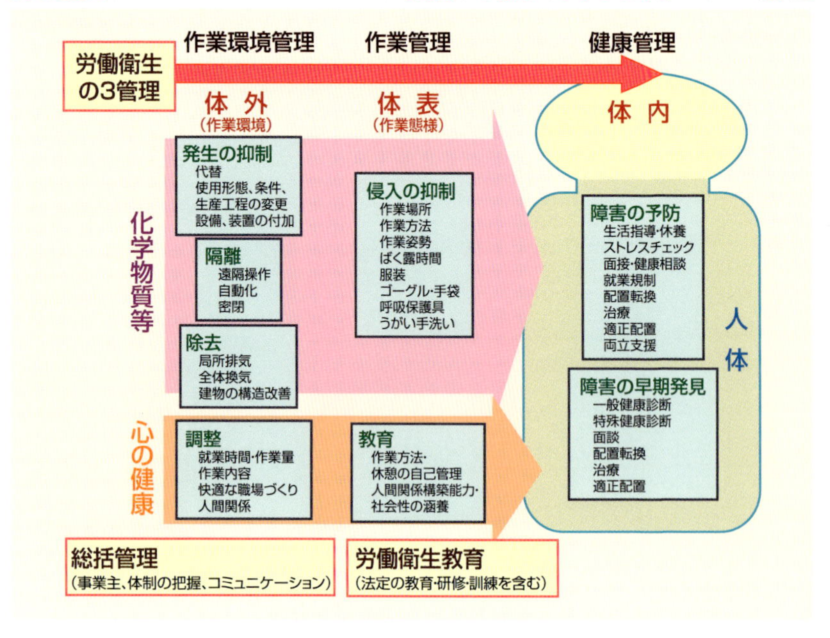

職業性疾病・健康障害の予防と衛生管理の改善・向上のために、総括管理とよばれる労働衛生管理体制の構築と事業主との良好なコミュニケーションによるその円滑な推進、労働衛生教育、そして**作業環境管理、作業管理、健康管理**の 3 管理を加えた 5 つを基本とした労働衛生管理が行われる。

作業環境管理は、的確な作業環境の把握と設備対策などにより有害要因を除去し、良好な作業環境を確保する。作業管理は、保護具の着用や作業姿勢の改善など、労働者の作業のあり方を改善し、健康障害要因の影響を低減させる。健康管理は、健康診断（全労働者に対する一般健康診断と有害業務の従事者に対する特殊健康診断がある）およびその結果に基づく事後措置、健康指導により労働者の健康状態を把握し対応する。

参照：本編 328 ～ 329 頁（第 8 編第 2 章　2.労働衛生管理の基本）

8-4　労働衛生管理体制

労働安全衛生法に基づく管理体制

標準的な労働衛生管理体制の例

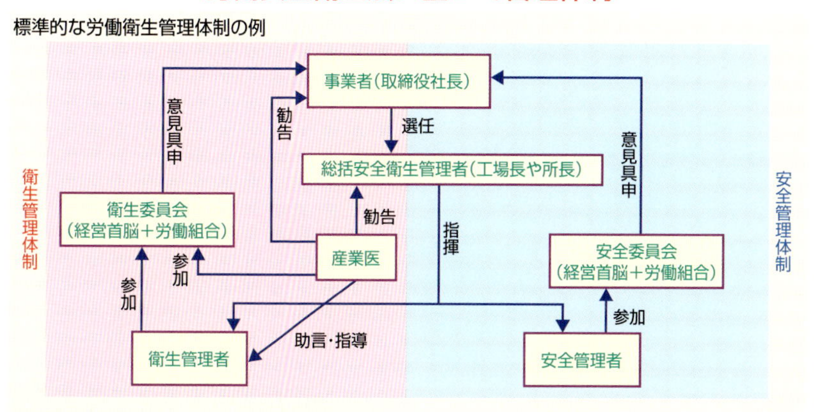

事業場の規模と管理者・産業医の選任表

	事業場の労働者数→	1~9人	10~49	50~99	100~299	300~499	500~999	1000人以上
総括安全衛生管理者	建設業、運送業、林業、鉱業、清掃業				総括安全衛生管理者			
	製造業、電気業、ガス業等							
	その他の業種							
衛生管理者／衛生推進者	坑内、有害業務に30人以上従事する事業場		衛生推進者(専属)	衛生管理者(専属)			衛生管理者(専任)	
	その他の業種							
産業医等	有害業務に500人以上従事する事業場			産業医			産業医(専属)	
	その他の業種							

労働安全衛生法は、事業規模に応じた**労働安全衛生管理体制**の整備を事業者に義務づけている。常時50人以上が働く職場では、その労働者数に応じた衛生管理者、**産業医**の選任義務がある。安全・衛生委員会は、労働者の代表と産業医を法定構成員として毎月１回以上開催され、労働者の健康障害防止と労働災害発生防止などの調査審議がなされ、事業者へ意見提示がされる。総括安全衛生管理者の設置義務も業種と労働者数による。また、高圧、高温室内作業、特定化学物質などを扱う有害作業場では、有資格の作業主任者の選任義務がある。産業医は原則として月に１回以上*職場を巡視し、衛生状態などを監視、必要な措置を講じる。50人未満の職場には安全・衛生推進者の選任義務があり、医師による健康管理が推奨される。全国に設置された**産業保健総合支援センター**による健康相談、産業保健指導などの援助も行われる（**8－5節**参照）。

（*必要な情報が提供され、事業主の同意がある場合は２カ月に１回以上）

参照：本編 328～329 頁（第８編第２章　1.労働衛生対策の推進体制、3.事業場における労働衛生管理）

8-5　労働衛生対策の推進

過重労働、心の健康、治療と就労の両立支援が最近の課題

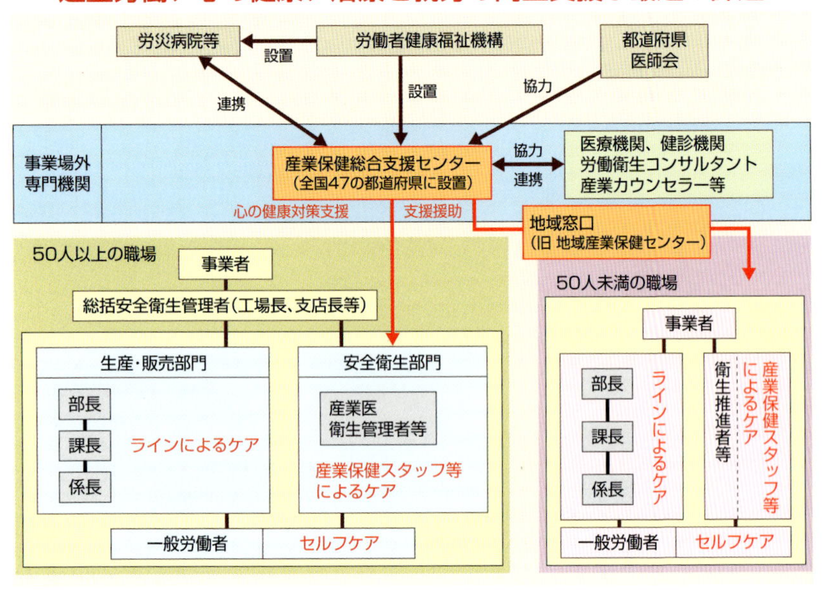

過重労働による健康障害防止のため、すべての職場で残業が月 100 時間を超える長時間労働者への医師の面接指導義務、常時 50 人以上の労働者が働く職場での**ストレスチェック**と**面接指導義務**がある。平成 30 年の**働き方改革関連法**ではその基本方針とともに、時間外労働の上限、産業医・産業保健機能の強化、雇用形態によらない公正な待遇の確保を定めている。

40 ～ 74 歳の労働者には内臓脂肪蓄積に着目した特定保健指導が実施される一方、従来の**トータル・ヘルスプロモーション・プラン**（THP）に基づく健康指導は、全年齢が対象で、心身両面からのアプローチが特徴である。

産業保健総合支援センターでは、小規模職場の労働衛生対策への援助、産業医等の産業保健スタッフの支援、心の健康対策支援の 3 事業が行われる。

平成 28 年に事業場における治療と職業生活の両立支援のためのガイドラインが公表され、適切な就業上の措置や治療に対する配慮が行われている。

参照：本編 324 ～ 335 頁（第 8 編　労働衛生）

公害健康被害の補償と環境保健への取り組み

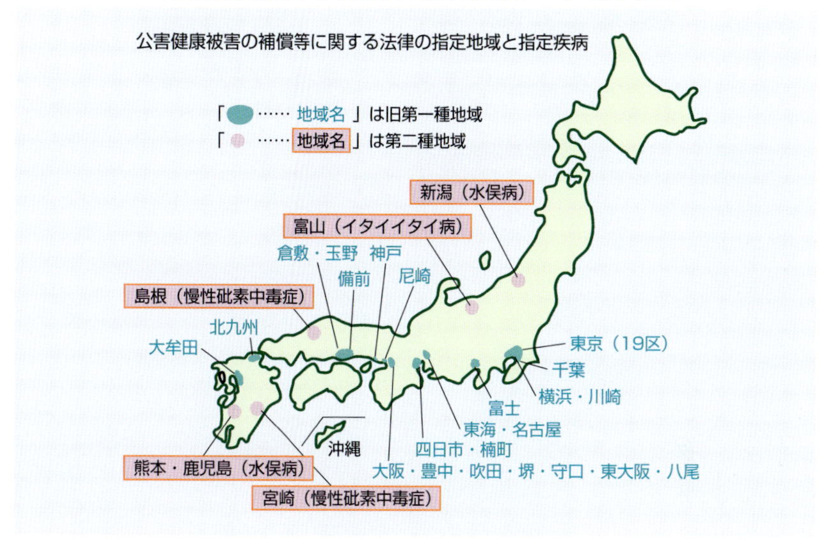

注　第一種地域：大気汚染が著しく、その影響による気管支喘息などが多発
　　第二種地域：環境汚染が著しく、その影響による特異的疾患が多発

公害による健康被害が大きな社会問題となり、昭和 42 年に**公害対策基本法**が成立した。さらに、水俣病、イタイイタイ病、慢性砒素中毒症などの公害に対して、**公害健康被害の補償等に関する法律**（公健法：63 年に改正）が定められ、**汚染原因者負担の原則**を基本とし、公害による健康被害者の保護が行われてきた。**水俣病**については、公健法や平成 7 年の政治解決を受けて対策が講じられ、21 年には水俣病被害者の救済及び水俣病問題に関する特別措置法が制定された。

環境保健への取り組みの一つとして、子どもの健康の確保と安全・安心な子育て環境の実現に向けて、平成 22 年度より 10 万組の親子を対象としたコホート調査「子どもの健康と環境に関する全国調査（**エコチル調査**）」が実施されている。母体血や臍帯血、母乳などを採取・分析・保存し、子どもが 13 歳に達するまで、全国 15 地域のユニットセンターにおいて追跡調査が行われる予定である。

参照：本編 340 ～ 351 頁（第 9 編第 2 章　環境保健の動向、第 3 章　化学物質対策）

9-2 環境基準

健康や生活環境を守るための環境基準

公害の種類	環境基準の名称	概要（設定物質等）
大気汚染	大気汚染に係る環境基準	大気汚染に係る環境基準 ・二酸化硫黄（SO_2）、一酸化炭素（CO）、浮遊粒子状物質（SPM）、微小粒子状物質（$PM_{2.5}$）、二酸化窒素（NO_2）、光化学オキシダント（Ox）
		有害大気汚染物質に係る環境基準 ・ベンゼン、トリクロロエチレン、テトラクロロエチレン、ジクロロメタン
水質汚濁	水質汚濁に係る環境基準（公共用水域、地下水）	人の健康の保護に関する環境基準 ・カドミウム、PCB、全シアン、鉛など全27項目（公共用水域）、28項目（地下水）
		生活環境の保全に関する環境基準 ・河川、湖沼、海域のそれぞれについて、pH、生物化学的酸素要求量（BOD）または化学的酸素要求量（COD）、浮遊物質量（SS）、溶存酸素量（DO）、大腸菌群数、全窒素、全燐、全亜鉛、n-ヘキサン抽出物質（海域のみ）
騒　音	騒音に係る環境基準	道路に面する地域以外 道路に面する地域 航空機 新幹線鉄道
大気・水質・土壌汚染	ダイオキシン類による大気の汚染、水質の汚濁及び土壌の汚染に係る環境基準（ダイオキシン類対策特別措置法）	大気　0.6pg-TEQ/m^3以下（年間平均値） 水質　1pg-TEQ/L以下（年間平均値） 水底の底質　150pg-TEQ/g以下 土壌　1,000pg-TEQ/g以下

環境基本法（平成5年）は、環境の恵沢の享受と継承（3条）、環境への負荷の少ない持続的発展が可能な社会の構築（4条）、国際的協調による地球環境保全の積極的推進（5条）を基本理念としている。この法律に基づき、政府は環境基本計画（第5次：30年）を定めるとともに、大気汚染、水質汚濁、土壌汚染、騒音に係る環境基準を設定している。なお、ダイオキシン類に関する環境基準は、**ダイオキシン類対策特別措置法**により設定されている。

また、東日本大震災に係る対応として、放射性物質による環境汚染防止のための措置や、福島県は県民健康調査によって健康管理を継続している。放射線による健康影響に関わるリスクコミュニケーションは、重要課題となっている。

参照：本編336～339頁、352～364頁
（第9編第1章　環境問題のあゆみ、第4章　環境保全対策）

大気汚染や水質汚濁の現状と対策

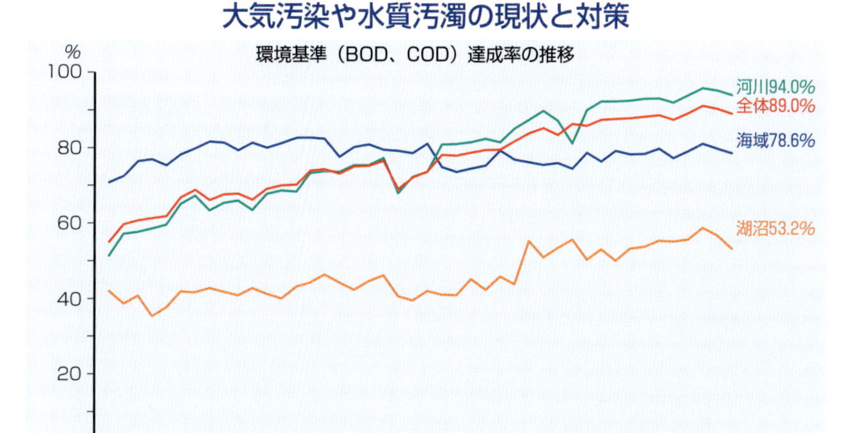

資料　環境省「公共用水域水質測定結果」
注　1）河川は BOD、湖沼と海域は COD である。
　　2）達成率（%）＝（達成水域数／あてはめ水域数）× 100

大気汚染の現状として、二酸化硫黄（SO_2）、一酸化炭素（CO）、二酸化窒素（NO_2）、浮遊粒子状物質（SPM）については、環境基準の達成率は高い。しかし、微小粒子状物質（$PM_{2.5}$）や光化学オキシダントについては、達成状況は低い。**大気汚染防止法**の下、工場や事業所等の固定発生源対策、自動車など移動発生源対策、光化学オキシダントの注意報の発令などが行われている。

水質汚濁の現状として、人の健康に有害な物質については、環境基準がほぼ達成されている。一方、生活環境の保全に関する項目として、河川における**生物化学的酸素要求量**（BOD）と湖沼と海域における**化学的酸素要求量**（COD）があり、基準達成率は平成 29 年度で河川 94.0 %、湖沼 53.2 %、海域 78.6 %であった。水質汚濁防止対策としては、下水道の整備や合併浄化槽の促進など、生活雑排水対策が重要である。また、**水質汚濁防止法**の下、汚濁の著しい広域的な閉鎖性海域を対象に、水質総量削減が制度化されている。

参照：本編 352 ～ 364 頁（第９編第４章　環境保全対策）

9-4　地球環境問題

地球環境を守るための国際的な取り組み

項　　目	主な国際的な取り組み
1．地球温暖化	温室効果ガスの排出抑制（京都議定書 平成9年採択、平成17年発効）、気候変動に関する政府間パネル（IPCC）、パリ協定（2015年）
2．オゾン層破壊	オゾン層を破壊する物質に関するモントリオール議定書（1987年）
3．酸性雨	東アジア酸性雨モニタリングネットワーク（EANET）
4．黄砂対策	中国・モンゴル・韓国・日本・国際機関による共同調査・研究
5．森林破壊	熱帯林の保全、国際熱帯木材協定
6．生物種の減少	ワシントン条約…絶滅のおそれのある野生動植物の種の国際取引に関する条約 ラムサール条約…特に水鳥の生息地として国際的に重要な湿地に関する条約 生物多様性保全条約
7．海洋環境保全	ロンドン条約、OPRC条約
8．砂漠化	砂漠化対処条約（1994年パリ）
9．有害廃棄物の越境移動	バーゼル条約……有害廃棄物の国境を越える移動及びその処分の規制に関する条約
10．環境と開発	持続可能な開発に関するヨハネスブルグ宣言、実施計画（2002年南アフリカ）、我々が求める未来（2012年ブラジル）

地球環境問題について、平成4年（1992年）に「環境と開発に関する国連会議」（**地球サミット**）が開催され、「**環境と開発に関するリオ宣言**」と行動計画「アジェンダ21」が採択された。この合意を受けて、様々な取り組みが開始された。

気候変動に関する政府間パネルによって、大気中の二酸化炭素、メタン、フロンなどの温室効果ガス濃度の上昇による気温、海面、豪雨、渇水などの気候変動、食料生産やマラリアの分布などの人間の健康への影響などが評価された。平成9年には地球温暖化防止京都会議（COP3）が開催され、温室効果ガスの削減目標を定めた「**京都議定書**」が採択された。しかし、実効性に大きな課題が生じ、新たな枠組みとして、2015年にパリ協定が採択され、わが国を含めて185の国と地域が締結している（令和元年5月現在）。

2012年6月には、地球サミットから20年を経たことを機に、国連持続可能な開発会議（**リオ＋20**）が開催され、持続可能な開発に関するハイレベル・フォーラムの創設等が決定された。

参照：本編362～364頁（第9編第4章　4.地球環境）

9-5　廃棄物

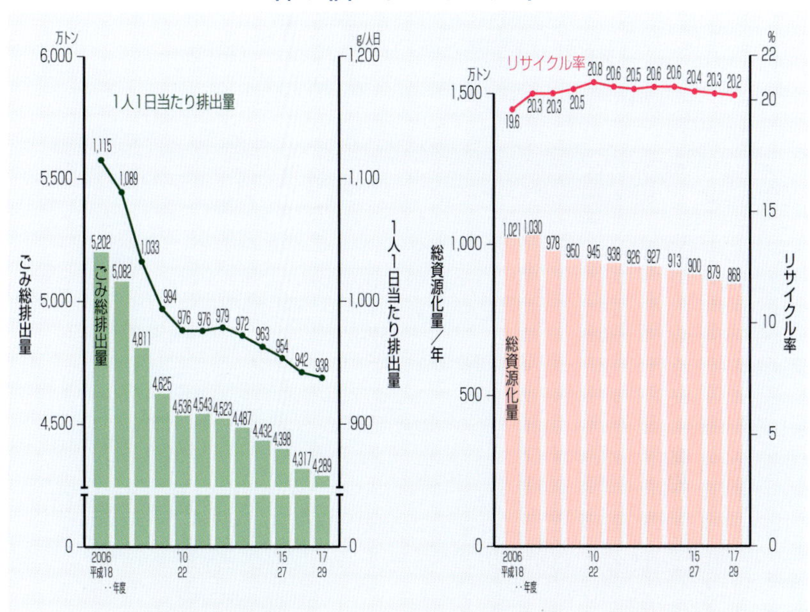

資料　環境省「一般廃棄物処理実態調査」
注　1人1日当たり排出量は、外国人人口を含まない場合の数値である。

廃棄物は、ごみ、し尿などの一般廃棄物と産業廃棄物に区分され、**廃棄物処理法**の下に処理される。一般廃棄物は市町村が処理責任を有している。総排出量は減少し、平成29年度は、4289万トン（1人1日当たり938g(＊外国人を含めると920g)）であり、21年度から1人当たりのごみの量が1kg以下となった。一方、産業廃棄物は、28年度は3億8703万トンとなっている。

平成12年に**循環型社会形成推進基本法**が制定され、①発生抑制、②再利用、③再生利用、④熱回収、⑤適正処分という、循環型社会において優先すべき課題が法制化された。また、容器包装、家電、建設、食品、自動車、小型家電の各**リサイクル法**が施行され、リサイクル（再商品化）の推進、排出事業者の責任の強化などが図られてきた。リサイクル率は15年度の16.8％から19年度には20％を超えたが、その後は横ばいとなっている。

参照：本編365～370頁（第9編第5章　廃棄物対策の動向）

9-6　環境要因による健康被害に対する措置

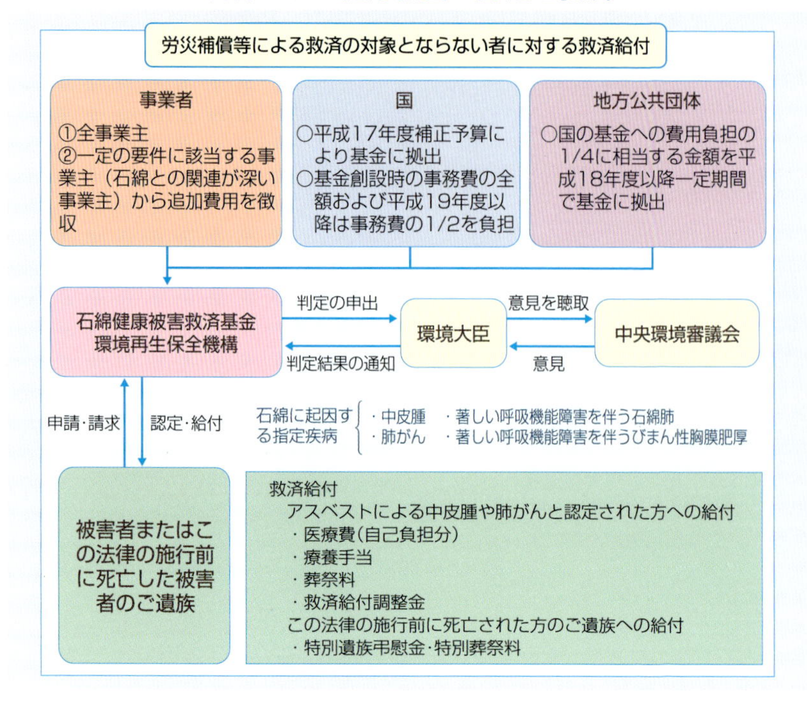

石綿（アスベスト）は、長期にわたり幅広く大量に使用されてきた結果、多数の健康被害が発生している。石綿へのばく露から発症までの潜伏期間が30～40年と長期に及び、中皮腫や肺がんの発症後1～2年で死亡するケースも多く、何の補償も受けることができない状況があった。そこで、被害者の迅速な救済を目的とした**石綿による健康被害の救済に関する法律**が、平成18年に施行された。

環境要因による健康影響に対する取り組みとしては、熱中症、花粉症、紫外線への対応などがある。急増する熱中症（平成30年5～9月の救急搬送人員数は約9万5千人（前年は約5万8千人））に対して、政府は7月を「熱中症予防強化月間」と定め、「夏季のイベントにおける熱中症ガイドライン」を作成するなど、取り組みを強化している。

参照：本編371～373頁（第9編第6章　環境要因による健康影響に関する取り組み）

10-1　学校保健行政の概要

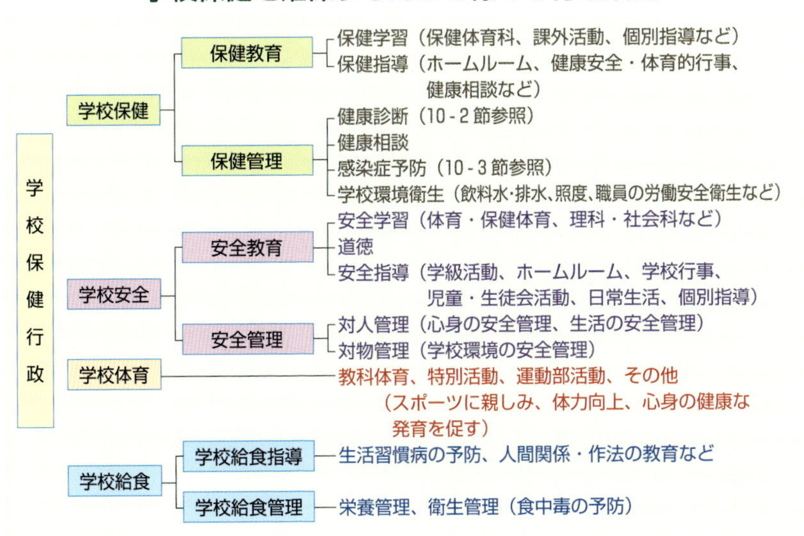

学校保健行政は学校生活において健康の保持増進を図る。対象は幼稚園・大学を含む教育機関とそこに学ぶ幼児・児童、生徒、学生の合計約1880万人と教職員約189万人（平成30年）であり、学校保健、学校安全、学校体育、学校給食に大別される。学校保健の保健教育は、教科による保健学習と教科以外の保健指導に大別される。**保健管理**には、**保健主事、養護教諭、学校医、学校歯科医、学校薬剤師**があたる。①健康診断、②健康相談、③伝染病予防、④**学校環境衛生**（飲料水の検査、照度の確保、給食の検食、食品衛生の一部を含む）などからなる。

義務教育段階で**特別支援教育**を受けている子どもは約42万人（同年代の4.2％、平成29年）と、少子化の中、増加傾向である。小・中学校の普通学級に学習障害（LD）児、注意欠陥多動性障害（ADHD）児、高機能自閉症等の**発達障害**で特別な教育的支援を必要とする子どもが約6.5％（24年）を占め、発達障害の可能性のある児童生徒に対する早期支援や教職員の専門性向上事業など、**発達障害者支援法**のもとに切れ目のない支援が行われている。

参照：本編374～388頁（第10編　学校保健）

10-2　学校における健康診断

学校の健康診断は就学時と定期・臨時。教職員も対象

平成28年('16)4月現在

項目	検査・診察方法	発見される疾病異常	実施学校・学年													
			幼稚園	小・中学校									高校			大学
				1	2	3	4	5	6	1	2	3	1	2	3	
保健調査	アンケート		○													○
身長・体重		低身長等														
脊柱・胸郭・四肢・骨・関節		骨・関節の異常等														△
栄養状態		栄養不良・肥満傾向・貧血等														
眼		感染性疾患、その他の外眼部疾患、眼位等	幼稚園から大学までの全学年で◎													
耳鼻咽喉頭		耳疾患　鼻・副鼻腔疾患 口腔咽喉頭疾患 音声言語異常等														
視力	視力表　裸眼の者　裸眼視力	屈折異常、不同視等														△
	視力表　眼鏡等を使用している者　矯正視力															
	視力表　眼鏡等を使用している者　裸眼視力		幼稚園から大学までの全学年で△													
聴力	オージオメータ	聴力障害					△		△		△			△		△
皮膚		感染性皮膚疾患 湿疹等	幼稚園から大学までの全学年で◎													
心臓	臨床医学的検査 その他の検査	心臓の疾病 心臓の異常														
	心電図検査		△	◎	△					◎	△		◎	△		
歯および口腔		むし歯・歯周疾患 歯列・咬合の異常 顎関節症症状、発音障害	幼稚園から高校までの全学年で◎													△
尿	試験紙法　蛋白等	腎臓の疾患														
	試験紙法　糖	糖尿病	△													
結核	問診・学校医による診察	結核		小・中学校の全学年で◎												
	エックス線撮影												◎			◎1学年(入学時)
	エックス線撮影 ツベルクリン反応検査 喀痰検査等			小・中学校の全学年で○												
	エックス線撮影 喀痰検査・聴診・打診等												○			○
その他の疾患および異常	臨床医学的検査 その他の検査	結核疾患　心臓疾患 腎臓疾患　ヘルニア 言語障害　精神障害 骨・関節の異常　四肢運動障害	幼稚園から大学までの全学年で◎													

注　◎ほぼ全員に実施　○必要時または必要者に実施　△検査項目から除くことができる

学校の**健康診断**には、①就学時健診、②児童、生徒、学生と幼児の定期・臨時健診、③教職員の定期・臨時健診がある。就学時健診は就学4カ月前までに、定期健診は毎学年6月末までに、臨時健診は必要時に行う。事後措置として、①就学時は治療勧告、保健上必要な助言、就学義務の猶予・免除、特殊諸学校への就学指導、②児童、生徒、学生と幼児には疾病の予防処置、治療指示、運動と作業の軽減、特定疾病治療の医療費援助、③教職員には治療指示、勤務軽減を行う。

平成30年の学校保健統計調査によると、高校でのむし歯(う歯)被患率が45.4％、裸眼視力1.0未満が67.2％と高い。近年むし歯は幼小中高すべてで低下傾向、12歳児の永久歯の1人当たりの平均むし歯は0.7本、高校で未処置歯のある者は18.3％である。28年の国民生活基礎調査によると、10～19歳の通院者率は、アレルギー性鼻炎、歯の病気、骨折以外のけが・やけど、アトピー性皮膚炎などが高い。身長と体重は近年横ばいである。

参照：本編374～382頁（第10編第1章　学校保健行政の動向、
第2章　1.学齢期の健康状況）

10-3　学校における感染症予防

学校では感染症を３種類に分類して予防

	分類の考え方	感染症の種類	出席停止期間の基準
第1種	感染症法の1類感染症および2類感染症（3－20節参照）（結核を除く）	エボラ出血熱、クリミア・コンゴ出血熱、痘そう 南米出血熱、ペスト、マールブルグ病、ラッサ熱 急性灰白髄炎、ジフテリア 重症急性呼吸器症候群(病原体がベータコロナウイルス属SARSコロナウイルスであるものに限る)、中東呼吸器症候群（病原体がベータコロナウイルス属MERSコロナウイルスであるものに限る）、特定鳥インフルエンザ（感染症予防及び感染症の患者に対する医療に関する法律6条3項6号に規定する特定鳥インフルエンザをいう。現時点で病原体の血液亜型はH5N1およびH7N9）	治癒するまで
第2種	空気感染または飛沫感染し、児童生徒の罹患が多く、学校において流行を広げる可能性が高いもの	インフルエンザ(特定鳥インフルエンザ（H5N1）および新型インフルエンザ等感染症を除く）	発症後5日を経過し、かつ解熱後2日（幼児は3日）を経過するまで
		百日咳	特有の咳が消失するまでまたは5日間の適正な抗菌性物質製剤による治療が終了するまで
		麻しん	解熱後3日を経過するまで
		流行性耳下腺炎	耳下腺、顎下腺または舌下腺の腫脹が発現した後5日を経過し、かつ全身状態が良好になるまで
		風しん	発しんが消失するまで
		水痘	すべての発疹が痂皮化するまで
		咽頭結膜熱	主要症状消退後2日を経過するまで
		結核 髄膜炎菌性髄膜炎	病状により学校医その他の医師が伝染の恐れがないと認めるまで
第3種	学校教育活動を通じ、学校において流行を広げる可能性があるもの	コレラ、細菌性赤痢、腸管出血性大腸菌感染症 腸チフス、パラチフス、流行性角結膜炎 急性出血性結膜炎、その他の感染症	

資料　学校保健安全法施行規則等
注　　感染症の予防及び感染症の患者に対する医療に関する法律６条７項から９項までに規定する新型インフルエンザ等感染症、指定感染症および新感染症は第一種の感染症とみなす。

学校においては特に予防すべき感染症は３種類に分類され、感染症法による以外に、**学校保健安全法**による出席停止や臨時休業などの伝染病予防の規定がある。健康診断（10 － 2 節）、保健学習、保健指導なども予防に寄与している。

学校保健活動には上記以外に、がん教育、薬物乱用防止教育、学校におけるアレルギー疾患への対応、学校歯科保健活動の推進、要保護児童生徒への医療費補助などがある。特に薬物乱用に対しては、参考資料、指導方法の工夫、教職員研修、広報啓発活動などにより、防止教育の充実が図られている。近年は大麻事犯が増加傾向にあり、検挙者の約半数は未成年および 20 代の若者が占めるなど、大麻乱用のすそ野が拡大している。現在は平成 30 年に策定された第五次薬物乱用防止五か年戦略のもとに、政府一丸となった取り組みが推進されている。

参照：本編 374 ～ 379 頁（第 10 編第 1 章　1.学校保健行政の動向）

索 引

アルファベット

ADHD 60,121
AED 82
A/H1N1 68
AIDS 64
AMED 71
A類疾病 67
BOD 117
BSE 106
B型肝炎（ウイルス） 62,102
B類疾病 67
CKD 74
COD 117
COPD 15
C型肝炎（ウイルス） 62,102
DHEAT 22
DMAT 82
DOTS 65
DPAT 60
GHSI 22
GVHD 102
H7N9 63
HbA1c 14
HBV 62,102
HCV 62,102
HIV 64,102
ICD 32
IHR 66
IHR2005 22
LD 121
MERS 63,66
MPOWER 16
MRSA 83
NAT 102
NCD 8
NGSP値 14
PCB 108
$PM_{2.5}$ 117
PMDA 100,102
PMDAメディナビ 100
QOL（生活の質） 15
SES 11
SIDS 57
TDI 108
THP 114
UNAIDS 23,64
VRE 83
WHO 16,23,44,100
WHOによる公衆衛生上の脅威の連携 22

ア

アイバンク（眼球銀行） 74
悪性新生物〈腫瘍〉 32,33
アスベスト 120
あへん 103
アルブミン製剤 101
アルコール健康障害対策基本法 52,60
アレルギー疾患対策基本法 75
安心と希望の医療確保ビジョン 78
安全性速報 100

イ

イエローレター 100
医師、看護師不足 84
移植片対宿主病 102
石綿 111,120
石綿による健康被害の救済に関する法律 120
一次予防 8,14
1.57ショック 54
一類疾病 67
一般廃棄物 119
一般病床 85,86
一般用医薬品 99
医薬品 98,99
医薬品医療機器総合機構 98,100,102
医薬品、医療機器等の品質、有効性及び安全性の確保等に関する法律 99
医薬分業 98
医療安全の確保 83
医療介護改革 77
医療介護総合確保推進法 78
医療計画 79
医療事故調査・支援センター 83
医療施設 85
医療の質の向上 83
医療扶助（費） 91
医療扶助人員 91
医療法 78
医療保険者 45,87
医療保険制度 87,89
医療保護入院 61
院内感染対策 83
インターネットパトロール事業 100
院内トリアージ 82

ウ

ウイルス性肝炎 62
ウインドウ・ピリオド 102
牛海綿状脳症 102,106
運動習慣者の割合 50

エ

エイズ 64,102
衛生行政 21
栄養機能食品 105
疫学研究に関する倫理指針 18
エコチル調査 115

オ

オーファンドラッグ 98
汚染原因者負担の原則 115
卸売販売業 99

カ

介護医療院 94
介護給付費等実態統計（介護給付費等実態調査） 96
外国人事犯の増大と若年化の傾向（麻薬・覚せい剤等の薬物） 103
介護に対する社会的支援 94
介護認定審査会 95
介護保険給付費 92,94
介護保険制度 92,94
介護保険法 95
介護療養病床 85
改正IHR 22
外来受療率 40
化学的酸素要求量 117
化学物質審査規制法 108
夏季のイベントにおける熱中症ガイドライン 120
核酸増幅検査（NAT）102
覚せい剤 103
角膜移植 74
学校医 121
学校環境衛生 121
学校歯科医 121
学校保健安全法 123
学校保健行政 21,121
学校薬剤師 121
加熱式たばこ 16
がん 12,33
簡易生命表 37
肝炎ウイルス 62
肝炎対策基本法 62
肝炎対策の推進に関する基本的な指針 62
肝炎治療特別推進事業 91
環境基準 116
環境基本法 116
環境と開発に関するリオ宣言 118
環境保健行政 21
がん研究 71
がん検診 46
看護職員確保対策 84
肝疾患 32
患者調査 38,40〜43
勧奨接種 67,68
感染症（学校） 123
感染症の予防及び感染症の患者に対する医療に関する法律 63
感染症病床 85,86
感染症法 63,65
完全生命表 37
がん対策基本法 69
がん対策推進基本計画 69
がんに罹患するリスク（確率） 12
カンピロバクター 107

キ

危機管理調整会議 22
期間合計特殊出生率 29
危険ドラッグ 103
喫煙 13,15,16
機能性表示食品 105
義務接種 67,68
ギャンブル等依存症対策基本法 60
救急医療 82
協会けんぽ 88
京都議定書 118
業務上疾病 111
虚血性心疾患 13,34
禁煙 15
緊急安全性情報 100

ク

組合健保 88
クリプトスポリジウム 104

ケ

下水道（処理人口普及率） 104
血液製剤 101,102
血液製剤の使用指針 101,102
結核 32,65
結核医療の基準 65
結核に関する特定感染症予防指針 65
結核病床 85,86
結核予防法 65
検疫（所） 66
検疫感染症 66
検疫法 66
献血可能年齢 101

健康格差の縮小　9,11
健康管理　112
健康危機管理基本指針　22
健康寿命　10
健康寿命の延伸　9,77
健康診断（学校）　122
健康増進法　46,48
健康日本21（第二次）　8〜11,13,14,44,50,51,53
健康の社会的決定要因　44
健康被害（予防接種）　68
健康を支え、守るための社会環境の整備　44
原子爆弾被爆者に対する援護に関する法律（被爆者援護法）　75
建築物環境衛生管理基準　109
建築物における衛生的環境の確保に関する法律(建築物衛生法)　109
現物給付　87
憲法25条　21

コ

公害健康被害の補償等に関する法律　115
公害対策基本法　115
後期高齢者医療広域連合　90
後期高齢者医療制度　90
口腔機能向上　53
合計特殊出生率　29
高血圧　13
高血圧治療ガイドライン　13
厚生労働省健康危機管理基本指針　22
後天性免疫不全症候群　64
後天性免疫不全症候群に関する特定感染症予防指針（エイズ予防指針）　64
後天性免疫不全症候群の予防に関する法律（エイズ予防法）　64
公認心理師試験　60
公費医療制度　91
高齢者医療制度　89
高齢者の医療の確保に関する法律　45,89,90
誤嚥性肺炎の予防　53
コーホート合計特殊出生率　29
国際協力（交流）　23
国際疾病分類　32
国際的なテロ対策・健康危機管理の連携　22
国際保健規則　22,66
国勢調査　24
国保　88
国民医療費　92,93
国民皆保険　87,89
国民健康・栄養調査　48,51
国民健康づくり運動　9
国民健康保険　88
国民生活基礎調査　26,38,39
国立がん研究センター　70
国連合同エイズ計画　23,64
こころの健康　51
こころの状態　39
５疾病５事業　79
個人予防　67
子育て世代包括支援センター　56
子ども・子育て関連３法　54
子ども・子育て支援新制度　54
コーデックス委員会　106
子どもの貧困率　38
ごみ総排出量　119
５類感染症　64
婚姻　28,37

サ

災害拠点病院　82
災害時健康危機管理支援チーム　22
災害派遣医療チーム　82
災害派遣精神医療チーム　60
災害時医療　82
臍帯血移植　74
さい帯血バンク　74
在宅医療　81
作業環境管理　112
作業管理　112
作業関連疾患　111
サルモネラ属菌　107
産業医　113,114
産業廃棄物　119
産業保健総合支援センター　113,114
三次医療圏　79
三次予防　8,14

シ

死因別死亡　32
視覚障害　59
歯科口腔保健の推進に関する法律　53
時間比較　47
死産　28,35,37
死産率　35
脂質異常症　13
次世代育成支援対策推進法　54
自然死産率　35
自然増減率　27
持続感染者（キャリア）　62
市町村保健センター　21
シックハウス問題　108
質の高い医療の提供体制　78
死亡　28,31,36,37
脂肪エネルギー比率　49
死亡の国際比較　34
死亡率　31
社会経済的状況　11
社会増減率　27
社会的入院　42
社会防衛　67
社会保険方式　94
社会保障給付費　20
シャーガス病　102
周産期死亡数　28
周産期死亡率　35
収縮期血圧平均値　47
従属人口（指数）　25
集団予防　67
出生　28〜30,37
出生数　29
出生体重　30
出生率　30
受動喫煙　16,17
主要４死因　32
受療行動調査　42
受療率　40
循環型社会形成推進基本法　119
循環器系の疾患　41,93
循環器疾患　13
純再生産率　29
障害者基本法　58
障害者総合支援法　58,60
障害福祉サービス　58
上水道（普及率）　104
小児慢性特定疾患医療費助成制度　57
消費者庁　105,106
傷病大分類別医科診療医療費　93
傷病別推計患者数　41
食育基本法　49
食塩摂取量　49
職業性疾病　111
食事バランスガイド　49
食生活指針　49
食中毒　107
食品安全委員会　105,106
食品安全基本法　105,106
食品衛生監視員　109
食品衛生法　66,105
食品健康影響評価（リスク評価）　106
食品表示法　105
処方せん受取率　98
自立支援　94
自立支援医療　57
人員配置基準　86
新型インフルエンザ　63,68
人口構成　19
新興・再興感染症　66
人工死産率　35
人口静態　24
人口増減率　27
人工透析　74
人口動態　28,37
人口ピラミッド　19
心疾患　32
新生児死亡数　28
新生児死亡率　36
新生児マススクリーニング　57
身体活動・運動　50
身体障害児・者　59
診療報酬　87

ス

推計患者数　40
推計入院患者数　41,42
水質汚濁防止法　117
垂直感染　62
水道水質基準　104
水平感染　62
睡眠　51
睡眠指針　51
健やか親子21（第２次）　55
ストレスチェック　114

セ

生活衛生関係営業の運営の適正化及び振興に関する法律（生衛法）　109
生活衛生関連行政　109
生活習慣病　8,9,12〜15,45
生活保護法　91
生産年齢人口　25
精神および行動の障害　41
精神障害者　59,61
精神通院医療　61
精神病床　85,86
精神保健福祉士　60
精神保健福祉法　60,61
生物化学的酸素要求量　117
生命関数　37
生命表　37
世界健康安全保障イニシアティブ　22
世界保健機関　23,44
世帯構造　26
構造設備基準　86
全国がん登録　72

ソ

総患者数　41
早期新生児死亡率　36

臓器の移植に関する法律　74
造血幹細胞移植　74
総再生産率　29
総資源化量　119
総人口　24
ソーシャルキャピタル　44
相対的貧困率　38
措置入院　61
タ
第１号被保険者　94
第２号被保険者　94
第一類医薬品　99
第二類医薬品　99
第三類医薬品　99
ダイオキシン類　108
ダイオキシン類対策特別措置法　116
対がん10カ年総合戦略　71
大気汚染防止法　117
第七期介護保険事業計画　79
第七次医療計画　79
大麻　103
耐容１日摂取量（ダイオキシン類）　108
多剤耐性結核　65
タバコ　15,16
チ
地域医療構想　78～80,84,86
地域医療構想調整会議　77,80
地域間比較　47
地域がん診療病院　70
地域がん診療連携拠点病院　70
地域支援事業　95
地域診断　47
地域包括ケアシステム　97
地球サミット　118
知的障害児・者　59
注意欠陥多動性障害　60
中皮腫　111,120
聴覚・言語障害　59
腸管出血性大腸菌　107
直接服薬確認　65
テ
定期接種　67
低体重児　30
店舗販売業　99
ト
糖尿病　13,14
登録販売者　99
トータル・ヘルスプロモーション・プラン(THP)　114
ドクターヘリ　82
特定健康診査　45
特定行為に係る看護師の研修制度　84
特定疾病　95
特定保健指導　45
特定保健用食品　105
特別支援教育　121
独立行政法人医薬品医療機器総合機構法　68
都道府県がん診療連携拠点病院　70
都道府県別人口　27
努力義務（予防接種）　67
ナ
内臓脂肪症候群　45
ナイチンゲール　76
内部障害　59
内分泌かく乱化学物質　108
生ワクチン　67
悩みやストレス　39
難病　58,73
難病の患者に対する医療等に関する法律（難病法）　73
ニ
二次医療圏　79
二次予防　8,14
日本医療研究開発機構　71
日本骨髄バンク　74
日本人の食事摂取基準　49
日本臓器移植ネットワーク　74
入院患者の重症度　42
入院受療率　40
乳児死亡数　28
乳児死亡率　36
二類疾病　67
任意接種　67
任意入院　61
妊産婦死亡率　35
妊娠期間　30
ネ
熱中症　120
年少人口（指数）　25
年少人口割合　25,27
年齢調整死亡率　31～34
年齢別死亡　31
ノ
脳血管疾患　13,32,34
ノロウイルス　107
ハ
肺炎　32
肺がん　33,34,111,120
廃棄物　119
廃棄物処理法　119
配置販売業　99
働き方改革関連法　114
8020（ハチマル・ニイマル）運動　53
発達障害　121
発達障害者支援法　60,121
母親の年齢別出生率　30
バンコマイシン耐性腸球菌　83
ヒ
非感染性疾患　8
ヒトゲノム・遺伝子解析研究に関する倫理指針　18
ヒト胎盤エキス（プラセンタ）　102
人の属性比較　47
ヒトパピローマウイルス　67
ヒト免疫不全ウイルス　64,102
人を対象とする医学系研究に関する倫理指針　18
被保護実人員　91
ヒヤリ・ハット　83
評価　47
被用者保険　88
フ
風しんに関する特定感染症予防指針　67
不活化ワクチン・トキソイド　67
副作用情報（医薬品等）　100
副作用被害（医薬品）　98
フッ化物洗口ガイドライン　53
不妊治療　57
ブルーレター　100
ヘ
平均在院日数　43,85
平均寿命　10,37
平均余命　37
へき地保健医療対策　82
変異型クロイツフェルト・ヤコブ病　102
ホ
保健管理　121
保健主事　121
保健所　21
母子保健法　56
マ
麻しんに関する特定感染症予防指針　67
マタニティマーク　56,57
麻薬・向精神薬　103
慢性腎臓病　74
慢性閉塞性肺疾患　15
ミ
水俣病　115
ム
無医地区　82
むし歯　122
メ
メタボリックシンドローム　45
メチシリン耐性黄色ブドウ球菌　83
面接指導義務　114
面分業　98
ヤ
薬物等による治療（COPD）　15
薬局　98,99
薬機法　99
ユ
輸血療法の実施に関する指針　101,102
輸入食品監視業務　66
ヨ
養育医療　57
要介護認定　95
養護教諭　121
要指導医薬品　99
予防接種健康被害救済制度　68
予防接種法　65,67,68
リ
リウマチ・アレルギー疾患対策　75
リオ＋20　118
離婚　28,37
リサイクル法　119
リサイクル率　119
リスク管理　106
リスクコミュニケーション　106,116
リスク分析　106
利用者本位とサービスの総合化（介護保険）　94
療養病床　85,86
療養の給付　87
臨床研究に関する倫理指針　18
臨床研究法　18
臨床研修　84
ロ
老人保健法　45
労災認定数　111
労働安全衛生管理体制　113
労働安全衛生法　110,113
労働衛生教育　112
労働衛生行政　21
労働基準法　110
労働災害　111
労働力人口　25
老年化指数　25
老年人口（指数）　25
老年人口割合　25,27

編　集　・　執　筆

山縣然太朗	山梨大学大学院医学工学総合研究部　教授
青山　　旬	栃木県立衛生福祉大学校歯科技術学部　部長
井谷　　修	日本大学医学部社会医学系公衆衛生学分野　准教授
尾島　俊之	浜松医科大学健康社会医学講座　教授
小橋　　元	獨協医科大学医学部公衆衛生学講座　主任教授
曽根　智史	国立保健医療科学院　次長
谷原　真一	久留米大学医学部公衆衛生学講座　主任教授
中山　健夫	京都大学大学院医学研究科 社会健康医学系専攻健康情報学分野　教授
水嶋　春朔	横浜市立大学医学部公衆衛生学　教授
横山　徹爾	国立保健医療科学院生涯健康研究部　部長
吉池　信男	青森県立保健大学健康科学部　教授
西山　　裕	一般財団法人　厚生労働統計協会
田邉　勝美	〃
水上　　孝	〃
鈴木　知子	〃
小西由起子	〃
三好　隼人	〃

編 集 後 記

「図説 国民衛生の動向」は、2000 年の創刊以来、20 回目の発刊となります。これはひとえに、読者の皆様の支えと一般財団法人厚生労働統計協会のご尽力の賜物と感謝申し上げます。非売品の 1999 年版が手元にあります。編集・執筆者に初代、二代の編集委員長を務められた瀬上清貴先生、橋本修二先生が名を連ねられています。そして、翌年に創刊号が発刊され、私を含め多くの執筆者は 20 年間、執筆・編集に関わってきました。創刊号の帯には第 52 回保健文化賞受賞記念出版と記され、さらに、国民衛生の動向のダイジェスト版として 1 頁 1 テーマとし、簡潔な記述で各テーマを理解しやすく工夫しましたとあります。その後、特集やコラム、CD 化などさらに工夫をしてきましたが、創刊時の理念を大切に編集・執筆に労を惜しまず読者に支持されるものにしていきたいと思います。

2019/2020 版では、「健康寿命の延伸とたばこ対策」を特集テーマといたしました。健康日本 21（第二次）の中間評価がなされたことを機に生活習慣病対策をさらに推進していくとともに、健康増進法改正により強化された受動喫煙対策が実効性のあるものになることを後押しする意味があります。多くの保健・医療・福祉に関わる方々が、本書をお読みいただき、さらなる生活習慣病予防推進の一助となることができれば、編集者としては、これに勝る喜びはありません。今後も本書をご愛用いただければ幸いです。　（山縣）

本年版も、当初の予定どおり 10 月末に刊行することができました。ご執筆の先生方には、限られた期間の中で、最大限のご支援をいただき厚く御礼申し上げます。

本書は、わが国の保健医療行政の動向がひと目でわかるよう工夫しております。近年、各行政分野における施策の連携が進み、複雑化していることから、施策の概要を簡単に把握できる本書の役割は益々大きくなってきていると感じております。

「国民衛生の動向」と本書、さらに、12 月に発売予定の本書の CD-R 版を併せてご利用いただければ、より講義や勉強の効果が上がるものと思います。ご検討いただければ幸いです。

今後も、本書の改善に努めて参りますので、読者の皆様には忌憚のないご意見をお寄せいただきますようお願いいたします。　(M)

図説　国民衛生の動向　2019/2020

定価（本体 1,591 円+税）送料実費

2019 年 10 月 31 日発行（無断転載を禁ず）

一般財団法人 厚生労働統計協会　編集・発行

〒103-0001　東京都中央区日本橋小伝馬町 4-9
小伝馬町新日本橋ビルディング 3 階
TEL　03-5623-4123（代表）
03-5623-4124（編集部）
FAX　03-5623-4125
http://www.hws-kyokai.or.jp/

ISBN978-4-87511-804-6